La Nouvelle
Critique sociale

La République des Idées

La Nouvelle
Critique sociale

Éditions du Seuil

ISBN 2-02-087431-8

www.seuil.com

À l'exception de l'introduction de Pierre Rosanvallon et Thierry Pech, et des contributions de Louis Chauvel et de Martin Hirsch, les textes réunis ici ont fait l'objet d'une publication dans le journal *Le Monde*, entre le mois de novembre 2005 et le mois d'avril 2006, dans le cadre de la série co-produite avec La République des Idées, « La crise de la société française ». Ils ont été revus et corrigés, parfois augmentés, pour la présente édition. On trouvera en annexe l'ensemble des données statistiques qui accompagnaient chaque étude.

Introduction

Par Pierre Rosanvallon et Thierry Pech

La société française a profondément changé depuis la fin des Trente Glorieuses, mais tout se passe comme si elle ne le savait pas encore. Elle en distingue sourdement les symptômes et en éprouve les manifestations les plus douloureuses : le chômage, l'exclusion, l'insécurité sociale, la ségrégation territoriale, les sentiments de déclassement dessinent un monde amer. Mais chacun peine à s'en représenter clairement les causes et les ressorts. Et faute de se comprendre elle-même, elle se ressent impuissante et broie du noir. De fait, elle manque des ressources nécessaires pour retrouver le goût de l'avenir et se gouverner collectivement de manière efficace.

Le monde politique a sa responsabilité dans cette défaillance. Il s'est paresseusement laissé enfermer dans un vase clos, oubliant que le travail de la représentation en démocratie ne consiste pas seulement à se faire élire pour gouverner légitimement, mais aussi, plus fortement, à offrir une figuration pertinente de la société et de ses antagonismes, à lui donner une image et un visage pour la rendre plus lisible et plus intelligible, et à rapprocher ainsi l'action publique des attentes concrètes des citoyens. Les événements du printemps ont montré ce qu'il en coûte d'oublier cette tâche. On ne peut cependant en rester à ce seul diagnostic.

Le malaise français, on ne le dira jamais assez, est en effet d'ordre intellectuel. C'est dans les têtes que se trouvent également les blocages, les aveuglements et les peurs. La « crise de la représentation » doit d'abord être comprise comme une crise de la société elle-même. Le problème n'est pas tant celui de partis qui auraient trahi les masses que celui d'une société introuvable à ses propres yeux, comme à ceux de l'observateur. C'est dans ces termes-là qu'il faut comprendre ce qui apparaît simultanément comme une *crise de la volonté*. Le sentiment d'impuissance que beaucoup ressentent ne correspond pas seulement à une démission du politique. Il renvoie aussi au fait que la réalité résiste aux concepts traditionnels avec lesquels on l'appréhende. Les mots ne disent plus les choses. Et c'est l'écart entre la réalité vécue et la réalité pensée qui constitue le verrou majeur. D'où l'urgence de fonder une « nouvelle critique sociale » pour rendre à la société la force et la capacité de se changer, et pour donner à voir les antagonismes qui la structurent.

Soyons clairs. Il ne s'agit ni de rallier par là le chœur aigri des pessimistes professionnels ou des nostalgiques bilieux, ni de joindre magiquement sa voix à celle d'un « peuple » dont la situation constitue précisément le problème. Il ne s'agit pas non plus, comme on l'entend souvent ces temps-ci, de disserter vaguement sur l'état d'un « modèle social français » alternativement idéalisé et démonisé.

Le véritable programme de cette entreprise consiste dans l'exploration renouvelée des mécanismes collectifs qui alimentent aujourd'hui les inégalités, dans l'examen des nouvelles articulations entre la sphère économique et la sphère sociale, dans l'enchevêtrement des facteurs économiques, politiques et culturels qui, sous l'apparente confusion d'une « société d'individus », dessinent les contours de conditions informulées, tracent de nouvelles frontières entre gagnants et perdants, et contribuent à sceller les destins des personnes les moins favorisées. De fait, cette nouvelle critique sociale suppose à la fois une patience documentaire tenue à l'abri des généralités hâtives, et une largeur de vue suffisante pour dresser un nouveau portrait d'ensemble de la société à l'écart des conventions et des convenances.

Celle-ci se raconte aujourd'hui le plus souvent à travers un lexique usé et des catégories approximatives. On continue de parler des « milieux populaires », du « salariat modeste », voire du « peuple », mais sans trop savoir de quoi ni de qui l'on parle exactement. En face de ces généralités comme en face du peuple « légal » – celui de la Constitution, du corps électoral –, il nous est de plus en plus difficile de placer un ensemble organisé de réalités sociologiques.

La société industrielle, elle, avançait une réponse : celle d'une société traversée par la lutte des classes. Mais les conditions de possibilité d'une telle configuration se sont évanouies : le plein emploi qui permettait à chacun de se situer par la place occupée dans le système de production ; de grandes entreprises intégrées qui réunissaient de vastes collectifs de travailleurs à l'abri de leurs ateliers et qui se présentaient comme les principaux lieux de socialisation ; des trajectoires professionnelles continues et relativement sédentaires qui favorisaient encore la formation de fortes identités collectives ; une sphère économique enchâssée dans les régulations publiques et sociales du *welfare state* keynésien d'après-guerre, lui-même tenu à l'intérieur des frontières nationales. Dans cette société, l'horizon du progrès social était identifié à la réduction des inégalités de condition (entre ouvriers et cadres, par exemple), et il structurait en grande partie le paysage politique. De fait, en réduisant les inégalités salariales entre ces catégories et en offrant à chacun les protections de la «société salariale», cette société réussit à diffuser une certaine confiance dans l'avenir : l'ascenseur social ne fonctionna pas toujours aussi bien qu'on le pense aujourd'hui, mais la plupart acquirent la conviction que le sort de leurs enfants serait meilleur que le leur.

Qu'en est-il aujourd'hui ? Les inégalités salariales n'ont guère bougé depuis la fin des années 1970. Le chômage de masse a bien sûr changé la donne, mais il s'est stabilisé depuis vingt ans – à un niveau certes critique – entre 8 et 12 % de la population active. *A priori*, le paysage d'ensemble de la société française est relativement stable : si l'on en juge par ces instruments de mesure classiques, les changements qui l'ont affectée depuis une vingtaine d'années ne semblent pas avoir bouleversé ses grands équilibres. En réalité, cette impression de surface est liée à l'usure de notre vocabulaire et de nos instruments de connaissance. Le moule initial s'est bel et bien cassé, et les «classes populaires», les «cadres», etc. ne désignent plus du tout la même réalité. Les «ouvriers» n'ont pas disparu, mais ils ont changé de visage. L'emploi industriel classique a considérablement régressé. Le développement du capitalisme de services et la mondialisation de l'économie ont donné lieu à des entreprises plus petites où les relations d'emploi sont profondément bouleversées, les carrières plus accidentées et les situations professionnelles plus individualisées. Quoi de commun entre l'ouvrier de type industriel en CDI dans une entreprise d'État et l'employé de services à la personne en situation précaire ? Entre le chauffeur-livreur en CDD d'une entreprise de grande distribution et l'employé de la fonction publique ? Non seulement les mots « ouvriers », « employés » ou « cadres » ne recouvrent plus les mêmes réalités, mais les personnes ne sachant plus désigner leur situation socioprofessionnelle lors des enquêtes statistiques sont de plus en plus nombreuses. Tels sont les signes les plus tangibles de l'aphasie qui frappe le social et ses principaux acteurs aujourd'hui.

Est-ce à dire que la société aurait perdu toute forme de cohérence ou d'organisation cachée ? Certes pas, mais cette organisation, en même temps qu'elle changeait, a perdu en visibilité : les mécanismes qui président aux nouvelles précarités, à certaines formes de pauvreté, aux pénibilités du travail, aux discriminations, aux stratégies de séparatisme social... sont le plus souvent dissimulés dans les plis de l'expérience collective. C'est à lui redonner forme et langage qu'œuvre la nouvelle critique sociale dont nous proposons les premières synthèses dans les pages qui suivent.

En contrepoint de la lecture traditionnelle du social, Éric Maurin dessine ainsi les contours d'un monde structuré par les nouvelles frontières de la précarité et de la sécurité, ainsi que par de puissantes passions endogamiques : la société française est moins partagée entre ouvriers, employés, professions intermédiaires, etc., qu'entre précaires, protégés (parfois déçus) et compétitifs (peu nombreux). Et il est de moins en moins certain que ces nouvelles catégories aient encore quelque chose à négocier et à échanger entre elles.

Cette configuration est en grande partie l'effet des transformations du capitalisme et d'une perte de centralité de l'entreprise comme lieu de socialisation, laquelle semble avoir été supplantée dans ce rôle par le territoire. C'est désormais dans l'espace – et singulièrement dans la ville – que se marquent les appartenances et les distinctions, à la faveur de stratégies résidentielles tendues vers la recherche de l'entre-soi et des meilleurs contextes d'éducation pour les enfants.

La question sociale épouse ainsi une nouvelle géographie. L'image (et l'imaginaire) d'un territoire continu s'en trouve fragilisée. Les écarts entre régions (du point de vue de la démographie, des revenus, des spécialisations économiques...) tendent certes à s'estomper, mais les inégalités se redéploient à d'autres niveaux. Non seulement au niveau urbain, entre quartiers et voisinages, mais aussi au niveau inter-régional. Pierre Veltz et Laurent Davezies montrent que cette nouvelle géographie sociale oppose de plus en plus, d'une part, quelques régions enchâssées dans la mondialisation, économiquement dynamiques et exportatrices, et du même coup plus exposées aux chocs de conjoncture, et, d'autre part, des régions vivant en grande partie de la redistribution et de l'emploi public, moins exposées aux variations de la conjoncture mais, à moyen terme, plus dépendantes et plus fragiles. Ils montrent également que le territoire est le théâtre de mobilités à travers lesquelles se marquent de nouvelles disparités : mobilités subies des salariés résidant en banlieue et travaillant dans les grandes villes, mobilités choisies de ceux qui profitent pleinement des 35 heures, mobilités biographiques des retraités qui fuient les grandes agglomérations...

Certains seront tentés d'opposer à ces lectures le visage souriant de la tertiarisation de l'économie et de l'individualisation des relations d'emploi : un monde de l'entreprise plus responsabilisant, moins routinier, donnant à chacun plus de marges de créativité et d'autonomie, et accouchant d'un travail au total plus doux et moins pénible. La littérature managériale a décliné ces thèmes sur tous les tons ces dernières années. En réalité, ce « nouvel esprit du capitalisme » se heurte aux observations scientifiques : Philippe Askenazy montre que le monde du travail d'aujourd'hui n'est pas moins pénible, mais que les formes de cette pénibilité ont changé ; que les charges mentales et psychologiques du *travail d'aujourd'hui* n'ont pas supplanté les fatigues et les usures physiques du *travail d'hier*, mais s'y sont agrégées. C'est l'avènement d'un « productivisme réactif » dans les entreprises qui en est la cause, mais aussi l'apathie relative des régulations sociales héritées de l'ancienne société industrielle. Des phénomènes que la focalisation sur les difficultés de « l'individu au travail » empêche souvent de considérer.

La confiance dans l'avenir et la foi dans le progrès social sont également atteintes par l'ensemble des transformations en cours. L'imaginaire d'un ascenseur social poussant continûment les nouveaux venus vers le haut est non seulement grippé, mais laisse place à un sentiment de déclassement de plus en plus répandu et fortement corrélé aux résultats des plus récents scrutins électoraux. Ce déclassement ne consiste cependant pas uniquement dans un « sentiment » : il est aussi (et souvent plus massivement encore) une réalité. C'est ce que montrent ici François Dubet et Marie Duru-Bellat : à diplôme égal, les nouveaux arrivants sur le marché du travail connaissent des destins socioprofessionnels significativement moins brillants que leurs aînés, il y a dix ou vingt ans. Ces évolutions nourrissent un scepticisme croissant sur la valeur des qualifications scolaires et sapent progressivement l'un des fondements du contrat social.

Plus largement, la situation faite aux nouveaux venus est révélatrice d'une autre dimension de la question sociale aujourd'hui : les nouvelles précarités peuvent se lire à partir de catégories socioprofessionnelles, mais aussi à partir de catégories générationnelles. Comme l'ont spectaculairement souligné les derniers mois de l'année 2005, les jeunes sont aujourd'hui plus que d'autres exposés à un cumul de difficultés (accès au logement, à la propriété, à l'emploi…). Ce sont ces fractures générationnelles qu'analyse ici Louis Chauvel en mettant l'accent sur une jeunesse « sans destin ».

En somme, sous l'apparente stabilité du paysage d'ensemble, les grands équilibres de la société française ont bel et bien été bouleversés, mettant en péril sa cohésion la plus élémentaire. L'évolution de la pauvreté en est un bon lecteur, comme le montre Martin Hirsch. D'abord parce que celle-ci surgit au confluent de multiples difficultés (emploi, logement, manque de qualification, surendettement, évolution de la famille…). Ensuite parce que son visage général a changé de nature : autrefois associée à l'image d'une vieillesse impécunieuse, elle touche aujourd'hui des publics rajeunis ; autrefois synonyme de chômage et d'assistance, elle affecte également désormais des personnes insérées sur le marché du travail (la figure du « travailleur pauvre » n'est plus le triste privilège de lointaines contrées libérales) ; autrefois cantonnée aux marges de la société, elle la frappe aujourd'hui au cœur.

Il est bien sûr tentant d'expliquer l'ensemble de ces difficultés par la fameuse « montée de l'individualisme ». Mais cet individu jaloux de son intérêt matériel, replié sur la sphère privée, est moins conforté que déchiré par les évolutions en cours. Conçu comme une sorte de monade autonome, il est en même temps lui-même traversé par les contradictions qui affectent le collectif : comme parent, il cherche à placer ses enfants dans les meilleures écoles et les meilleurs quartiers, mais, comme citoyen, il se prononce volontiers en faveur de la mixité sociale ; comme salarié, il veut défendre son emploi, mais, comme épargnant, il alimente les marchés financiers ; comme employé, il redoute la mondialisation, mais, comme consommateur, il se rue sur les produits d'importation bon marché ; etc.

Par ailleurs, la poursuite continuelle de l'autonomie qui caractériserait cet « individu démocratique » se heurte chaque jour en pratique aux nouvelles inégalités, lesquelles frappent en particulier le rapport à l'avenir et les capacités de développement de chacun. La distance a rarement été aussi grande entre une revendication générale d'émancipation individuelle et une mobilité sociale faible, pour ne pas dire déclinante. Et c'est précisément cette distance, cet écart de la promesse à la réalité, qui font le caractère de plus en plus insupportable des diverses discriminations à l'œuvre dans la société française.

Si l'on veut prendre au sérieux cette quête d'autonomie et les promesses qui la portent, alors il est urgent de s'attaquer aux inégalités de destin qui se construisent dès le plus jeune âge. C'est ce que montre Thomas Piketty : plus on attend, et plus les politiques sociales peinent à réduire les écarts de trajectoires et de performances entre les différentes conditions. Si les politiques préférentielles – connues sous le nom controversé de « discrimination positive » – ont une chance de réussir, c'est en visant les premiers cycles scolaires. Mais le temps n'est déjà plus aux débats théoriques sur le principe de telles politiques (« donner plus à ceux qui ont moins ») : il est désormais à la définition des projets et des mécanismes les plus pertinents. Dans ce passage de la question de principe à la question pratique se découvre une transformation sensible – quoique partiellement dissimulée – du pacte républicain et de son fameux « modèle ».

Ces premières lectures du nouveau monde social ne sont pas sans incidence sur les discours politiques. Elles invitent notamment à nuancer le poids de l'explication de nos problèmes par la mondialisation. L'idée s'est répandue ces dernières années que l'ouverture des frontières, la libéralisation des échanges et la circulation accélérée des biens et des services seraient responsables des principaux maux qui travaillent la société française. Bref, que le problème serait exogène, qu'il viendrait de l'extérieur. Les analyses ici réunies suggèrent un autre diagnostic. Les frontières entre précarités et sécurité décrites par Éric Maurin ne relèvent pas d'arbitrages négociés à l'OMC. Les pénibilités du travail dont parle Philippe Askenazy sont souvent moins fortes dans des pays tout aussi ouverts à la mondialisation que le nôtre. Les mécanismes de déclassement qu'analysent François Dubet et Marie Duru-Bellat, ainsi que la relégation des jeunes générations décrite par Louis Chauvel, sont souvent moins prononcés en Allemagne, en Suède ou aux Pays-Bas qu'en France. La pauvreté dont Martin Hirsch décrit les formes nouvelles croît plus vite dans notre pays que chez certains de nos voisins européens. Certes la mondialisation et l'émergence de nouveaux concurrents pèsent sur les transformations de l'économie, mais elle n'explique pas directement nos difficultés. Ceux qui la placent au banc des accusés risquent de manquer le cœur de la question, qui réside dans un travail sur soi beaucoup plus que dans la critique générale d'un contexte international par ailleurs largement partagé.

L'autre grille de lecture prise en défaut par ces analyses est celle qui ne comprend le malaise français que dans son rapport à un supposé déclin de la volonté politique. Les solutions seraient à portée de main. La société, dans son ensemble, serait prête. Il ne manquerait que l'étincelle d'une ambition résolue et d'une décision déterminée pour secouer des élites assoupies à l'ombre d'un électoralisme frileux, et libérer le pays de ses blocages institutionnels et des petits égoïsmes de corps qui entravent les réformes. L'heure serait venue du grand réveil, de la rupture, de la « thérapie de choc » – autant de synonymes d'une vieille métaphysique de la volonté au verbe haut et à la puissance quasi thaumaturgique. Tel est le fond de tableau d'un certain libéralisme autoritaire et des nostalgies décisionnistes qui circulent de nouveau aujourd'hui. Le gouvernement Villepin en a tristement illustré au printemps le caractère tragique et incantatoire.

L'enquête sociologique oppose ici deux points décisifs. Le premier concerne l'état de la société française. Les champions actuels du retour de la volonté font l'hypothèse d'une société suffisamment étale (ou suffisamment lasse) pour se rendre disponible à un changement radical et applaudir à la restauration prochaine d'un puissant leadership dans la République. Or la société n'est pas une et cohérente au point de répondre au profil quasi unanimiste qu'on lui prête à mi-mots (les multiples oppositions aux plus récentes réformes en témoignent), et elle n'est pas non plus cette agrégation confuse d'individus atomisés qui attendraient désespérément leur nouveau pasteur pour communier avec lui dans l'éclat de ses décisions tranchantes et la sombre énergie de circonstances exceptionnelles. Ce sont au contraire les nouveaux antagonismes sociaux qui appellent mise en scène et explicitation. Nous avons moins besoin d'un nouveau 1958 que d'un moment de clarification collective pour nous regarder en face.

Le second point interroge le diagnostic initial : y a-t-il véritablement déclin de la volonté ? Encore une fois, l'enquête sociologique conduit à des conclusions plus nuancées. Sauf à considérer que les différentes évolutions décrites dans les pages qui vont suivre puissent être l'œuvre du hasard, il faut accepter l'idée que la société française est traversée par un certain nombre de préférences collectives, plus ou moins silencieuses, plus ou moins assumées, et qui en façonnent cependant le visage et les difficultés. Les différents mécanismes à l'œuvre dans les structures du salariat, les formes du territoire, le monde du travail, les inégalités générationnelles… mettent en lumière des arbitrages cachés mais effectifs : arbitrage tacite au détriment des jeunes ou en faveur de la précarisation, préférence collective pour l'entre-soi dans les choix résidentiels et au détriment de ceux qui n'ont d'autre option que les quartiers de relégation, préférence implicite pour la pression au travail au détriment de la santé des travailleurs et des comptes sociaux, etc.

Ces choix ne sont pas le fait de la main invisible du marché ou d'un individualisme-roi dont il s'agirait d'instruire la critique morale ou de déplorer le manque de sens civique. Ils rappellent seulement que l'État n'est pas l'unique acteur sur scène : sa volonté n'épuise pas le champ du vouloir collectif. Ces préférences sont en effet l'œuvre d'une construction à plusieurs mains. Le sentiment d'un déclin du pouvoir politique ne signe pas la fin du pouvoir, mais son déport partiel vers la société civile et une multitude de régulations et d'agents, des plus organisés aux moins organisés.

Ces choix rappellent également qu'une société ne se définit pas seulement en référence à son système institutionnel ou à l'ensemble des valeurs qui la distingueraient des autres sociétés. Elle renvoie toujours en même temps à un compromis sur le partage des risques et des richesses. C'est cette tâche pratique que la critique sociale a vocation à rendre plus lisible pour qu'à l'écart des complaisances d'usage les nouvelles lignes de partage entre gagnants et perdants ne puissent plus être ignorées.

Les nouvelles précarités

Par Éric Maurin

Au premier regard, la société française reste la société de classes qu'elle était dans les années 1950, avec un haut et un bas bien identifiés, se reproduisant implacablement de générations en générations.

Non seulement les classes populaires (ouvriers et employés) n'ont pas disparu, mais elles représentent toujours la majorité de la population active (entre 55 % et 60 %)[1]. En apparence, leur situation salariale reste également très stable : un ouvrier (ou un employé) gagne 2,5 à 3 fois moins qu'un cadre, aujourd'hui comme il y a vingt ans. De même, le chômage touche toujours 3 ou 4 fois plus souvent les ouvriers ou les employés que les cadres. Enfin, la démocratisation de l'accès à l'enseignement secondaire n'a pas vraiment atténué les inégalités considérables de perspectives scolaires et sociales pour les enfants des différentes catégories.

L'échec scolaire dans le primaire et au collège reste quatre à cinq fois plus fréquent chez les ouvriers que chez

---

1. Voir Annexe 1, *infra* p. 91.

les cadres : une majorité des enfants de cadres finiront cadres et une toute petite minorité (moins de 10 %) finiront ouvriers ou employés ; inversement, une majorité des enfants d'ouvriers finiront ouvriers ou employés. En somme, si l'on considère le paysage à partir des catégories forgées dans l'après-guerre – ouvriers, employés, cadres, etc. –, il nous renvoie l'image d'une société très stable.

Et pourtant, tout a changé.

Le symptôme le plus cru de ce bouleversement se trouve dans la crise générale de la représentation politique : des pans entiers du salariat modeste ont déserté la gauche et ne se sentent plus du tout représentés par les partis traditionnels. En mai 1981, le Parti socialiste rassemblait 74 % du vote ouvrier ; en avril 2002, il n'en capte plus que 13 %. La droite parlementaire ne profite guère de ce rejet : le vote des classes populaires a d'abord nourri la montée de l'abstention et, en second lieu, le vote pour les extrêmes. Lors de la dernière élection présidentielle, près du tiers des ouvriers qualifiés et des contremaîtres ont voté pour l'extrême droite.

Que s'est-il donc passé ? En réalité, les instruments mobilisés pour décrire le social racontent une société en trompe-l'œil. Les mêmes mots – ouvriers, professions intermédiaires, cadres… – décrivent des réalités sociologiques n'ayant plus beaucoup à voir avec la situation des années 1970. La classe ouvrière puissante et organisée a cédé la place à un nouveau prolétariat de services, invisible et dispersé. Employés de commerce, personnels des services directs aux particuliers, chauffeurs, manutentionnaires [2]… Quelques métiers de services peu qualifiés regroupent désormais à eux seuls plus de 5 millions d'actifs, près de 3 fois

---

2. *Ibid.*

plus que les ouvriers qualifiés de type industriel, figure naguère centrale de la classe ouvrière.

Un peu plus haut dans la hiérarchie salariale, les professions intermédiaires se divisent de plus en plus profondément entre une fonction publique surdiplômée, agressée par le rétrécissement du périmètre de l'État, et des classes moyennes du privé de plus en plus menacées par l'insécurité professionnelle. Plus haut encore, les emplois de cadres se sont multipliés, mais leur statut s'est inexorablement banalisé, surtout dans le privé : un nombre croissant d'entreprises gèrent leurs effectifs de cadres comme naguère ceux de leurs salariés ordinaires[3].

Un même mouvement de fragilisation des relations d'emploi traverse le haut comme le bas de la société, divisant et transformant les anciennes classes sociales. Encore résiduels au début des années 1980, les contrats à durée déterminée (CDD) représentent désormais plus des deux tiers des embauches. Ils sont devenus un passage obligé pour quiconque doit trouver ou retrouver un emploi. Un tiers seulement des contrats temporaires sont transformés en contrats à durée indéterminée (CDI).

Les emplois se créent aujourd'hui dans des termes plus incertains que naguère. Par la suite, leur destin s'écrit de façon également beaucoup plus aléatoire. Au-delà des hauts et des bas de la conjoncture, le risque annuel de perte d'emploi pour le chômage a augmenté en vingt ans de 30 % environ, dans tous les métiers salariés. Aux pires moments des restructurations du début des années 1980, 4 % des salariés perdaient leur emploi pour se retrouver au

---

3. Ndle : voir François Dupuy, *La Fatigue des élites. Le capitalisme et ses cadres*, Paris, La République des Idées / Seuil, 2005.

chômage l'année suivante. Quinze ans plus tard, durant la phase exceptionnelle de créations d'emplois de la fin des années 1990, ce même taux de perte d'emploi était supérieur à 5 %. La croissance n'endigue plus la montée de l'insécurité des emplois, laquelle est surtout très nette dans le secteur des services.

La fragilisation des relations d'emploi touche tout le monde, mais à des degrés divers[4]. Les métiers d'ouvrier et d'employé sont certes davantage exposés que les métiers plus qualifiés, mais – au sein de chaque grande classe sociale – les emplois impliquant une relation de service sont davantage exposés que les autres. Plus de 25 % des employés de commerce et des personnels des services directs aux particuliers sont au chômage ou sous contrats à durée limitée, près de 2 fois plus que la moyenne nationale. Les inégalités de salaires sont restées très stables en France, mais les inégalités d'exposition à des relations d'emploi fragiles ont augmenté considérablement.

La proportion d'ouvriers sous contrats précaires est aujourd'hui 7 fois plus forte que celle des cadres, alors que ce rapport n'était que de 1 à 4 vingt ans plus tôt[5]. Ces nouvelles formes d'inégalités sont aujourd'hui bien plus profondes que dans la plupart des autres pays occidentaux. Elles génèrent des inégalités de statut inédites, assez spécifiques à la France et qui sont en réalité des inégalités dans le rapport à l'avenir et dans le degré de socialisation. Elles représentent l'une des dimensions essentielles de la nouvelle architecture sociale.

---

4. Voir Annexe 1, *infra* p. 92.
5. *Ibid.*

Beaucoup plus que la mondialisation, c'est l'avènement d'une économie tournée vers la production de services qui transforme la condition salariale (les métiers ouvriers eux-mêmes s'exercent désormais en majorité dans les services). Au fur et à mesure qu'elles s'enrichissent, nos sociétés se détournent des produits industriels standardisés. Les entreprises industrielles elles-mêmes deviennent un lieu où se créent de plus en plus d'emplois de services (services d'études et de commercialisation notamment), à la périphérie de la production à proprement parler.

Plus fragile, le salariat est également isolé dans des structures de production plus petites où les rapports avec l'employeur, le client et le marché sont plus personnels et directs. Lors de la grande période de désindustrialisation (1980-1995), la taille des entreprises françaises s'est homogénéisée et a diminué en moyenne d'un tiers. Les enquêtes sur les conditions de travail révèlent que cette évolution s'accompagne d'une multiplication des tensions liée à la pression directe du marché et du client. Plus du tiers des ouvriers doivent désormais respecter des délais de production inférieurs à une heure.

L'éclatement du salariat dans de petites structures de services favorise également l'émergence d'arrangements extrêmement divers sur les horaires et les conditions de travail entre employeurs et salariés. Cette évolution rend très difficiles l'identification de problèmes communs entre salariés d'entreprises différentes et l'émergence d'identités collectives, et complique le travail de représentation des syndicats, lesquels sont peu représentés dans les nouveaux secteurs de services. Pour les salariés, la multiplicité et l'hétérogénéité des arrangements locaux sont la source d'un sentiment diffus d'injustice, d'arbitraire et d'illisibilité du monde du travail. La nouvelle entreprise capitaliste a peu à peu cessé d'être pourvoyeuse d'identité et de statut social. De ce point de vue, le fossé s'est creusé entre le salariat des grandes entreprises et celui des PME, ainsi qu'entre le salariat du privé et celui du public.

Le statut de la fonction publique apparaît de plus en plus comme un privilège aux yeux des salariés du privé dont l'horizon d'emploi s'est rétréci, et les conditions de travail durcies. Mais les salariés du public connaissent d'autres difficultés : durant ces années de chômage de masse, la fonction publique a été le refuge d'un nombre croissant de sur-diplômés. Ces nouvelles générations de fonctionnaires ont le sentiment d'avoir déjà payé leur statut par une forme de déclassement. Elles ressentent comme d'autant plus injuste toute tentative de remise en cause des termes du contrat qu'elles ont signé avec l'État. Le malentendu et les clivages entre public et privé sont de fait de plus en plus saillants. Les résultats exprimés lors de la dernière élection présidentielle ont révélé une distance tout aussi grande entre les classes moyennes du privé et du public qu'entre les classes populaires et les classes moyennes. Gagnées par l'abstention et tentées par l'extrême droite, les classes moyennes du privé rejettent de plus en plus radicalement la société en train de s'édifier.

De nouvelles distances se creusent entre ceux que leurs statuts et leurs diplômes protègent devant l'avenir, et les autres. Elles ne sont nulle part aussi visibles que sur le territoire et dans les choix résidentiels. Les changements de résidence restent en France relativement fréquents (10 % par an environ), mais ils ne donnent lieu à aucun brassage social[6].

---

6. Ndle : voir Éric Maurin, *Le Ghetto français*, Paris, La République des Idées / Seuil, 2004.

Parmi les personnes changeant de résidence, les plus aisées, les plus diplômées, se massent de plus en plus exclusivement dans les quartiers les plus riches et ainsi de suite, les plus pauvres n'ayant par défaut que les quartiers les plus déshérités pour emménager. Au final, les populations les plus riches se concentrent dans quelques territoires seulement, plus encore aujourd'hui qu'il y a vingt ans. Les quartiers sensibles ne sont qu'une conséquence d'un processus de séparation traversant toute la société.

L'âpreté de la ségrégation territoriale rend sensible un changement très profond dans la façon dont les classes sociales se définissent désormais les unes par rapport aux autres. La désindustrialisation a sonné le glas de catégories sociales complémentaires dans le processus de production et sur le lieu de travail. La complémentarité et la coexistence des différentes classes sociales sur les lieux de production disparaissent au profit de relations de clients à donneurs d'ordres, c'est-à-dire de relations médiatisées par le seul marché.

En forçant le trait, on pourrait dire que plus rien ne soude entre elles les différentes fractions de classes, elles n'ont plus rien à négocier ni à partager. Cette évolution libère et met à nu les tensions purement séparatistes et endogamiques qui sommeillent dans notre société.

Les métamorphoses du territoire : nouvelles mobilités, nouvelles inégalités

Par Laurent Davezies et Pierre Veltz

Crise des banlieues, décentralisation, crises industrielles locales : la question des territoires est d'actualité. La ségrégation spatiale croissante dans nos grandes villes, souvent commentée, n'est qu'un des aspects d'une structure territoriale complexe où les inégalités sociales et les inégalités géographiques se combinent sans toujours se confondre. Trois grands mouvements tectoniques résument à nos yeux les profondes transformations de la géographie sociale et économique de la France ces cinquante dernières années. D'abord, les différences entre régions se sont fortement estompées, alors que les inégalités intra-urbaines se sont aiguisées. Plus homogène à l'échelle du pays, la France est plus divisée à l'échelle fine des villes et des territoires locaux. Ensuite, la montée des mobilités (déplacements intra-urbains, TGV, 35 heures, résidences secondaires, mobilités à l'âge de la retraite…) a accentué la multi-appartenance territoriale pour une partie de la population, tout en créant de nouvelles inégalités. Enfin, une nouvelle division émerge entre une France bien insérée dans le jeu des concurrences économiques mondiales (*grosso modo*, celle des très grandes agglomérations) et une France vivant pour l'essentiel de revenus de redistribution.

La France des terroirs dont Michelet célébrait l'extrême diversité, celle des « petites villes » dont Marc Bloch, en 1940, constatait les effets engourdissants, appartiennent au passé. Les grands clivages historiques structurant le territoire s'atténuent. Le « croissant fertile » démographique du Nord est toujours visible sur les cartes, mais il s'est étendu à l'Île-de-France, à l'Ouest et au couloir rhodanien, et les écarts de fécondité et de mortalité entre régions se sont réduits. Les profils sectoriels d'activité des régions convergent, tertiairisation et désindustrialisation aidant. Des spécialisations fortes demeurent, mais elles sont ponctuelles, limitées à de petits bassins d'emplois. L'uniformisation sensible dans les paysages « américanisés » des périphéries de nos villes se lit dans les statistiques. Les styles de vie, les structures d'emploi et de consommation « s'urbanisent » jusqu'au fond des campagnes. Les grandes zones urbaines, depuis la décennie 1980, captent l'essentiel de la croissance démographique (on parle de « métropolisation »). Mais elles le font surtout au profit de la deuxième et de la troisième couronne des nappes urbaines de plus en plus déstructurées qui les entourent. Cet étalement urbain (en 1999, le pic de croissance démographique était à 15 ou 20 km des centres ; aujourd'hui, il est à 25 km !) est de loin le phénomène majeur de la période actuelle, dans un pays où les élites, confinées dans les centres historiques, ont toujours détesté le mode de vie suburbain cher aux Américains. En 2006, un Français sur deux habite dans une commune de moins de 10 000 habitants, mais pour l'essentiel (deux tiers) en milieu urbain et péri-urbain[7] !

La doctrine de l'«aménagement du territoire» à la française s'est entièrement construite autour de l'idée, en vérité peu claire, d'«équilibre» territorial : il s'agissait à la fois de faire contrepoids au monstre parisien et de réduire les inégalités entre régions. Dans les années 1950-1960, quand cette doctrine s'est fixée, il est vrai que ces inégalités étaient très fortes, quoique déjà déclinantes. Les salaires, par exemple, à qualification donnée, pouvaient varier de 30 % à quelques centaines de kilomètres de distance. Aujourd'hui, ce type d'écart a presque totalement disparu. Les inégalités entre les régions (et entre les départements), en termes de revenu par habitant par exemple, se réduisent[8]. Mais lorsqu'on parle d'inégalités, les échelles sont essentielles. Et ces inégalités qui diminuent à l'échelle du pays s'accroissent au contraire aux échelles locales, en raison soit des problèmes d'exclusion urbaine, soit des crises d'emplois localisées dans de petits bassins d'emploi. C'est un grand basculement : l'inégalité territoriale n'est plus un problème inter-régional ; elle est désormais un (énorme) problème urbain et local. Une société qui était plutôt homogène (et solidaire) dans ses voisinages locaux, mais très diverse et inégale à l'échelle du pays, s'efface progressivement au profit d'une société relativement homogène à l'échelle nationale, mais de plus en plus clivée dans ses espaces de proximité.

À l'échelle du pays, le territoire va donc plutôt bien ! Les grandes aires urbaines, on l'a dit, ont le vent en poupe. L'Île-de-France, qui avait dominé la croissance des années

7. B. Morel, P. Redor, *INSEE Première*, janvier 2006.
8. Voir Annexe 2, *infra* p. 96-97.

1980, a crû deux fois moins vite dans les années 1990 ; les métropoles régionales du Sud et de l'Ouest ont été les championnes de la croissance, de même que leurs régions[9]. L'Île-de-France, plaque tournante des mobilités résidentielles (40 % des flux migratoires y ont leur origine ou leur destination) continue à attirer massivement les jeunes actifs, mais laisse partir plus encore de retraités vers les autres régions[10]. Sa croissance est désormais endogène, du fait de la jeunesse de sa population. Par ailleurs, les villes moyennes ne font nullement les frais de cette métropolisation. Le poids dans la population nationale des 215 villes de 50 000 à 150 000 habitants a légèrement progressé et leur emploi a crû plus vite que la moyenne. Reste, dira-t-on, le fameux « désert rural ». Mais, là encore, les chiffres contredisent l'image courante. Certes, il y a en France des zones très fragiles, en raison de leur faible densité et de leur vieillissement. Mais à part des poches dans le Nord-Est, la « diagonale du vide » (des Ardennes au Massif Central) connaît depuis peu un étonnant regain démographique.

Levons ici un petit mystère. Car cette réduction des inégalités en termes de démographie et de revenu coexiste avec un décalage croissant depuis les années 1980 entre l'Île-de-France et le reste du pays en termes de PIB par habitant. La région capitale produit 29 % de la valeur ajoutée nationale, pour 19 % de la population et 22 % du revenu des ménages[11]. L'explication réside dans l'énorme redistribution qui s'opère de l'Île-de-France vers le reste du pays, à la fois par la dépense publique et par la mobilité de la consommation.

---

9. Voir Annexe 2, *infra* p. 97.
10. Voir Annexe 2, *infra* p. 101.
11. Voir Annexe 2, *infra* p. 94.

Le tableau est moins réjouissant si l'on considère l'échelle locale. Depuis le début des années 1980, en effet, les écarts n'ont cessé de se creuser au sein des agglomérations entre les communes riches (de plus en plus riches) et les communes pauvres (de plus en plus pauvres). Le potentiel fiscal varie de un à cinq, de Drancy à Neuilly. Ceci vaut de manière étonnamment similaire pour toutes les grandes villes, à l'exception de celles de l'Ouest, moins inégales. Notons que la décentralisation produit à cet égard des effets ambigus : la prise en charge de la pauvreté et de l'exclusion appelle des actions proches du terrain, mais la redistribution est d'autant moins efficace qu'elle se réalise sur un périmètre plus restreint, surtout si les logiques de club groupant des communes fiscalement et socialement homogènes l'emportent, comme c'est le cas dans un grand nombre des regroupements intercommunaux récents, comme l'a montré Philippe Estèbe. En réalité, c'est l'État-providence national qui constitue aujourd'hui le seul régulateur efficace des inégalités territoriales les plus criantes, beaucoup plus que l'Europe (les fonds structurels) et les collectivités locales.

Parmi les inégalités vécues dans le rapport au territoire, l'une des plus importantes est celle qui a trait aux mobilités. Mobilités intra-urbaines d'abord : les « perdants » sont ici d'un côté les immobiles que l'exclusion sociale et économique assigne à résidence et, à l'autre bout, les hyper-mobiles qui paient le prix fort de la périurbanisation. De 1960 à 1990, la mobilité des Français a explosé : les distances parcourues en moyenne par an et par personne ont triplé (les vitesses aussi ont très fortement augmenté, si bien que le temps moyen de déplacement urbain dans les grandes agglomérations est assez stable). Mais entre le cadre parisien, par exemple, qui dispose du vélo et du métro, et l'employé ou le cadre moyen de banlieue, condamné à l'automobile et qui consacre sans toujours bien le mesurer une part de son budget 4 à 5 fois supérieure aux transports quotidiens, l'écart s'est creusé. Cette mobilité croissante change profondément la nature des rapports au territoire vécu. Le temps n'est plus où les voisins étaient aussi les collègues de travail, les amis, etc. Désormais, nous vivons presque tous, à des degrés certes très divers, dans la multi-appartenance territoriale. Les communes périurbaines, en particulier, connaissent un véritable éclatement des sphères de vie des habitants. C'est un immense changement qui a des effets profonds sur les structures sociales intermédiaires, comme les syndicats ou les partis politiques dont la fréquentation reposait aussi sur l'unité de lieu entre la sphère du travail et les autres sphères. Et c'est un grand défi pour la démocratie urbaine. Car nous ne votons que là où nous dormons : c'est la « république du sommeil », comme dit Jean Viard.

Mais les mobilités urbaines, surtout subies, ne sont pas les seules. Les déplacements à longue et moyenne distance, souvent choisis, croissent désormais beaucoup plus vite que les mobilités locales. Ceux qui bougent le moins dans la ville sont d'ailleurs ceux qui bougent le plus hors de la ville, la mobilité totale étant *grosso modo* constante, à revenu donné. Le Parisien intra-muros, par exemple, avale en moyenne 4 fois plus de kilomètres en déplacements de longue distance qu'en déplacements urbains, et, au total, se déplace autant que le Francilien de grande couronne, en consommant probablement plus d'énergie, selon les travaux de Jean-Pierre Orfeuil et Danièle Soleyret ! On assiste au découplage progressif des lieux de consommation et des lieux de résidence, des lieux où s'effectue la dépense et des lieux où se crée le revenu. Si l'on tient compte aussi des mobilités résidentielles à l'âge de la retraite, très importantes, on voit se dessiner une sorte de redistribution « privée », qui joue surtout en faveur des régions bien dotées par la nature et qui renforce les effets de la redistribution publique (par le biais des salaires publics, de la dépense publique en général, des revenus sociaux divers). Le résultat est que nous ne sommes plus dans la situation des années 1950 ou 1960, où le revenu des territoires dépendait essentiellement de la production marchande locale. Une révolution silencieuse a transformé la « machine économique territoriale », qui repose désormais sur un énorme écheveau de flux de revenus et de dépenses extrêmement intégrés au plan national.

À grands traits, opposons ici deux périodes. Durant les « Trente Glorieuses », la croissance de l'emploi industriel et de la salarisation, y compris celle des femmes, bouleverse la vieille France artisanale et rurale. Les anciens « districts industriels locaux » sont laminés, les économies régionales sont absorbées dans un espace national de plus en plus unifié, sous l'égide des grands groupes en constitution. Ces derniers organisent une division des tâches proprement taylorienne entre les centres de décision et de conception – au premier chef la région parisienne – et les régions anciennement rurales où les usines poussent comme des champignons après l'orage. La solidarité entre régions est assurée d'abord par ce couplage productif, inégal mais puissant. Après 1980, tout change : déclin de l'emploi manufacturier, montée du tertiaire (beaucoup plus diffus dans ses localisations), développement des mobilités et des mécanismes redistributifs publics et privés évoqués à l'instant. Les grandes villes concentrent l'essentiel des activités marchandes « exportatrices », c'est-à-dire des activités non destinées à satisfaire des besoins locaux (plus la ville est grande, plus la part de l'emploi salarié privé exportateur dans l'emploi total est importante, Paris se détachant nettement). Dans le contexte nouveau de la mondialisation et d'une économie de la qualité et de l'innovation, les métropoles deviennent les écosystèmes privilégiés de la croissance et les principaux moteurs de l'économie nationale – à l'opposé d'une imagerie vivace qui les voit comme des structures parasitaires de la « vraie France productive », celles des provinces et des campagnes. En réalité, dans celles-ci, l'emploi privé inséré dans la concurrence mondiale ne fournit plus qu'une part très minoritaire des revenus locaux (avec des exceptions, bien sûr, comme Dunkerque avec la sidérurgie ou Montbéliard avec l'automobile). Les traumatismes liés aux crises industrielles locales qui se multiplient sont douloureux, mais l'arbre ne doit pas cacher la forêt : dans la majorité des territoires autres que ceux des grandes villes, ce n'est plus l'emploi privé exportateur qui est la source du dynamisme local : c'est le revenu issu du secteur public, de la consommation des non-résidents, du tourisme, des prestations sociales et des retraites[12]. L'enrichissement ou le déclin ne sanctionnent plus que marginalement la performance productive des territoires, mais leur capacité à attirer de la dépense. Une France duale se dessine : d'un côté les grands pôles urbains, très insérés dans l'économie internationale, et qui en subissent les chocs de conjonctures ; de l'autre, des territoires qui vivent principalement de la redistribution. Cette situation a des avantages. Elle explique la bonne tenue moyenne du territoire, surtout des régions du Sud et de l'Ouest, qui sont à la fois les plus attractives et les

---

12. Voir Annexe 2, *infra* p. 102.

moins touchées par les crises industrielles[13]. Elle comporte aussi de sérieux risques : vivre de redistribution protège à court terme, mais devient dangereux à moyen terme, surtout si les locomotives donnent des signes de faiblesse, ce qui est le cas de l'économie francilienne, lourdement obérée par la montée de la pauvreté, le manque de logements, les difficultés de la vie quotidienne et la propension croissante des Parisiens à dépenser leurs revenus ailleurs. Et la réduction incessante de la part de la population travaillant dans des entreprises confrontées à la concurrence internationale risque de faire oublier combien il est vital pour notre pays de disposer d'un tissu territorialement ramifié de PME industrielles et tertiaires compétitives.

Pour conclure, notons que ces évolutions qu'on vient d'esquisser à grands traits ne vont pas sans créer de curieuses distorsions entre ce que disent les chiffres et ce que ressentent nos concitoyens. L'écart se creuse entre la solidarité objectivement croissante des territoires et la perception qu'en portent les médias et les élus. Alors même que la réalité des flux de redistribution publics et privés dessine une France extraordinairement intégrée dans son devenir économique (au point que, vu de l'extérieur, on pourrait presque parler d'une seule grande agglomération France, d'une métropole-réseau dont le TGV serait en quelque sorte la colonne vertébrale), tout montre que cet enchevêtrement de flux et la réalité des transferts interrégionaux reste invisible aux yeux des Français : le voile d'abstraction qui caractérise l'État-providence en général s'applique aussi et surtout à ses formes géographiques. Il est ironique de noter, au passage, que les territoires de redistribution les mieux protégés de la mondialisation et de l'ouverture économique sont souvent

---

13. Voir Annexe 2, *infra* p. 97 et 100.

ceux qui semblent en avoir le plus peur, à l'inverse des grandes villes, pourtant beaucoup plus exposées : les résultats du référendum sur le traité constitutionnel sont à cet égard frappants, même s'il faut ici se garder de toute interprétation trop schématique !

La renaissance du régionalisme dans notre pays, enfin, est à replacer (et à interroger) dans ce contexte. La performance remarquable des petits pays européens (en général de poids inférieur à la seule Île-de-France), le dynamisme des régions européennes dotées d'une forte identité culturelle (Catalogne, Pays basque, Lombardie, Vénétie, Bavière, Écosse, etc.) trouvent un fort écho dans de nombreuses régions françaises, qui se projettent volontiers dans une Europe des régions qui leur permettrait de se débarrasser du centralisme français. Bien entendu cette remontée du régionalisme a des aspects éminemment positifs, en ce sens qu'elle crée une tension bienvenue avec un étatisme fatigué et apporte un espoir de cohérence dans un paysage institutionnel local totalement éclaté et illisible. Mais n'oublions pas que derrière cette idée de l'Europe des régions, il s'agit aussi, soyons clairs, de ne pas alourdir la barque des régions les plus riches par des transferts « inutiles » vers les régions les plus pauvres (en France, il est vrai, la seule région qui aurait vraiment intérêt à un tel découplage est la région capitale, mais elle n'a aucune identité culturelle propre !) Et surtout n'oublions pas que l'histoire et la géographie commandent, ou se vengent si on les oublie. La France, qu'on le veuille ou non, est un espace très intégré, très solidaire, et il doit être possible d'y construire une démocratie plus vivante, plus décentralisée, où les régions joueraient un véritable rôle d'animation économique, sans passer par le mythe de régions économiquement et socialement autosubsistantes.

Conditions de travail : l'impact des nouvelles formes de pénibilité

Par Philippe Askenazy

« L'homme n'a plus besoin d'être lui-même un automate à la Charlie Chaplin puisqu'il crée des automates artificiels. » En 1995, le rapport Boissonnat dressait ainsi une esquisse du « travail dans 20 ans »[14] : disparition des métiers pénibles, effacement des contraintes physiques, montée du travail intellectuel, nouvelle charge mentale. Nous sommes désormais à mi-chemin de la prévision : où en est le travail ?

L'imaginaire relayé par les médias conforte la vision Boissonnat. Ainsi, non sans quelque nostalgie de circonstance, on semble célébrer chaque jour l'éloignement de la vie à la mine et des « gueules noires ». Mais, parallèlement, dans le sillage d'ouvrages au succès retentissant, un vaste marché de consultants, d'experts, d'associations, de coachs

---

14. Jean Boissonnat, *Le Travail dans vingt ans*. Rapport de la commission présidée par Jean Boissonnat, Commissariat général du Plan, Paris, Odile Jacob, 1995.

et de psys, a porté une nouvelle grille de lecture de « son » travail autour de concepts comme le harcèlement moral.

À peine délivré des affres du labeur physique, le travailleur serait assailli par la souffrance psychologique sous l'impulsion d'une population croissante de petits chefs vicieux, eux-mêmes victimes de leurs supérieurs. Et, selon une autre grille d'analyse complémentaire de la précédente, lorsque ce ne sont pas les chefs, ce sont les clients, devenus plus exigeants, voire plus violents, qui augmenteraient la pénibilité du travail. En clair, les difficultés actuelles tiendraient à des relations inter-individuelles de type harceleurs-harcelés exaspérées par les relations de marché.

La force de persuasion de ce système « moral-psychologique » est que chaque travailleur connaissant des difficultés peut s'identifier peu ou prou à cette figure de la victime harcelée. Mais ces représentations traduisent-elles la réalité du travail aujourd'hui ? Le harcèlement moral ne toucherait au plus – ce qui est tout de même significatif – que 5 % des travailleurs français. Les sources principales des difficultés sont donc ailleurs.

Un vaste dispositif d'enquêtes et de très nombreuses monographies permettent de dresser un tableau plus complet. Épidémiologistes, médecins, ergonomes, économistes ou sociologues aboutissent, avec des méthodologies très diverses, à un même constat : le mouvement global d'amélioration progressive des conditions de travail qui avait caractérisé le XXᵉ siècle s'est inversé au tournant des années 1990.

Premièrement, les métiers traditionnellement pénibles et utiles n'ont pas tous disparu. Le bâtiment et les travaux publics demeurent un monde dur cumulant exposition à des produits toxiques, risques d'accidents, températures extrêmes ou pression sonore élevée[15]. Le travail à la chaîne ou sous contrainte automatique ne régresse pas : il concerne encore aujourd'hui 10 % des travailleurs[16].

En outre, de nouveaux métiers particulièrement pénibles apparaissent dans l'invisible « back office » de notre société. Est-on conscient, par exemple, que le souci écologique du tri sélectif et du recyclage implique que des hommes et des femmes traquent et corrigent manuellement nos erreurs de tri sur un flot continu de déchets ménagers ?

Deuxièmement, l'exposition des salariés à la plupart des risques et pénibilités du travail a eu tendance à augmenter dans la dernière décennie. L'enquête SUMER réalisée par les médecins du travail fournit une batterie d'indicateurs précis. La proportion de salariés du privé exposés à des produits chimiques a augmenté de 34 % à 37 % de 1994 à 2003. Désormais les deux tiers des ouvriers sont concernés ; en 2003, au moins 2,4 millions de travailleurs étaient en contact avec des produits cancérigènes. Les contraintes physiques comme la manutention de charge ou le piétinement pendant 20 heures par semaine déclinent en moyenne, mais augmentent pour les ouvriers[17].

Les contraintes organisationnelles, notamment de rythmes et de délais, se généralisent. L'« incertitude au travail », comme le fait de devoir effectuer des tâches non prévues, augmente pour toutes les catégories de salariés, accroissant leur « charge mentale ». Le contrôle par la hiérarchie décline au profit d'une prescription accrue et d'un quasi-doublement du contrôle informatique, qui concerne désormais plus du quart des salariés.

---

15. Voir Annexe 3, *infra* p. 105-106.
16. Voir Annexe 3, *infra* p. 104.
17. Voir Annexe 3, *infra* p. 106.

Même si la réduction du temps de travail a limité la fréquence des semaines longues, les temps sont de plus en plus éclatés. Le travail de nuit (surtout des femmes) se développe. Les horaires atypiques ou imprévisibles deviennent la norme, induisant des difficultés pour conjuguer vie privée (dont l'éducation des enfants) et vie professionnelle.

Ces évolutions tiennent en partie à la diffusion dans les secteurs des services, des méthodes d'optimisation des phases de travail issues du monde industriel. Dans l'ensemble, les inégalités se creusent, risques et pénibilité augmentant davantage pour les ouvriers et les employés que pour les autres catégories.

Le Charlot des *Temps Modernes* pouvait certes s'ennuyer sur sa chaîne répétitive, mais seuls son corps et ses réflexes étaient mobilisés. Aujourd'hui, l'ouvrier d'une usine de découpe de canard qui doit en permanence se concentrer pour préparer et dénerver des magrets naturellement tous différents, doit mobiliser l'ensemble de ses capacités cognitives et physiques. De même, la caissière de votre hypermarché doit non seulement manipuler quotidiennement 2 tonnes de marchandises, mais aussi trouver l'emplacement de milliers de codes-barres, les scanner, répondre à vos sollicitations, anticiper vos modes de paiement ou encore éviter la « démarque inconnue » (c'est-à-dire le vol).

De fait, contrairement aux représentations les plus répandues, les formes de pénibilité traditionnelles et nouvelles ne se substituent pas : elles se cumulent. Et ce cumul peut se traduire par des pathologies d'hyper-sollicitation, en particulier les troubles musculo-squelettiques (TMS). 11 % des hommes et 15 % des femmes en souffrent d'après l'étude pilote menée dans les Pays de la Loire en 2003[18].

Ces difficultés au travail résultent principalement des choix organisationnels et technologiques des entreprises : elles sont fondamentalement collectives. L'entreprise connaît en effet une profonde remise en cause de l'organisation du travail, liée au fait que la capacité à arriver la première sur un marché et à réagir aussi rapidement que possible aux évolutions de la demande est progressivement devenue la clef de la compétitivité.

Un *productivisme réactif* s'impose donc, basé sur des pratiques d'organisation flexibles et innovantes comme les équipes autonomes, la rotation de postes, le « juste à temps », pratiques associées à une sous-traitance accrue, à la réduction des lignes hiérarchiques, à la montée en puissance des normes de qualité[19].

Ces pratiques se diffusent rapidement dans le secteur privé mais aussi dans le secteur public. En 2005, un tiers des établissements français de plus de 20 salariés sont sous normalisation ISO[20]. Parallèlement, bien que leur efficacité ne soit pas démontrée, les progiciels de gestion intégrés ou ERP, peu présents il y a encore 10 ans, sont utilisés là aussi dans un tiers des établissements.

Ces changements organisationnels sont de fait inséparables des technologies de l'information et de la commu-

---

18. *Le Monde*, 15 novembre 2005.

19. Voir sur ce sujet Philippe Askenazy, *Les Désordres du travail*, Paris, La République des Idées / Seuil, 2004.

20. Définies par une organisation internationale privée, les normes ISO imposent aux entreprises non seulement un certain niveau de qualité des services ou des biens, mais aussi des modes d'organisation tendant à une amélioration continue.

nication : le développement de celles-ci permet la mise en place de nouvelles configurations, et inversement. C'est de la conjonction des deux que les entreprises attendent des gains de performance. Ce mouvement est global et s'auto-entretient en modifiant en permanence les conditions de concurrence entre entreprises et en stimulant l'innovation. Le travail demeure au centre de cette dynamique.

Ces transformations de l'économie et leurs consé-quences ne sont naturellement pas un monopole français. La montée des TMS ou l'intensification du travail ont été observées dans la plupart des pays développés à partir du milieu ou de la fin des années 1980. Cette évolution n'est cependant pas inéluctable. En témoigne le fait que les dif-ficultés au travail sont inégalement distribuées.

Deux entreprises aussi réactives et compétitives l'une que l'autre peuvent traiter de manière très différente leurs salariés. Les plus délétères sont celles qui associent à l'innovation organisationnelle des formes de désorganisa-tion du travail, comme le fait de recevoir des ordres contra-dictoires ou de supprimer les phases d'échanges collectifs nécessaires à l'équilibre des équipes de travail ou à la passation des consignes. Une meilleure formation des sala-riés ou des démarches de qualité de vie et de prévention au travail permettent au contraire aux organisations de devenir matures.

Dans la plupart des pays européens comme en Amé-rique du Nord, de nombreuses entreprises se sont efforcées de réduire l'usure au travail et d'améliorer les organisations. Dès le début des années 1990, leurs agences sanitaires ont soulevé la question des TMS. Les élites managériales for-mées aux questions de santé et de sécurité au travail et à leur gestion ont été alertées par le coût croissant de l'absentéisme et des maladies professionnelles, sous la pression, notamment dans les pays anglo-saxons, des assureurs santé. Dans les pays nordiques, le nécessaire allongement de la vie au travail a en outre induit chez les partenaires sociaux et l'État une attention particulière aux conditions de travail des seniors, mais aussi à celles des travailleurs plus jeunes pour leur éviter une usure prématurée. Ces réflexions sont entrées en résonance avec la mode de la Responsabilité sociale des entreprises (RSE).

Concomitamment, on assiste dans ces pays à une stabilisation, voire à un reflux, des effets délétères des nouvelles organisations, la plupart des indicateurs de santé au travail s'améliorant [21]. Les enquêtes européennes suggèrent une pause dans la montée des contraintes organisationnelles depuis le milieu des années 1990 alors que les fréquences d'accidents du travail décroissent significativement.

Les États-Unis ou la Grande-Bretagne qui ont été les premiers à connaître une nette dégradation voient une réduction progressive de l'ordre de 4 % par an des fréquences de TMS depuis maintenant une décennie, sans avoir pour autant renoncé au productivisme réactif. En Allemagne, cela fait également 10 ans que le nombre de cas de TMS s'est stabilisé et que, dans le même temps, l'absentéisme a reculé d'un tiers, alors même que la coalition rouge-verte avait réintroduit en 1999 une indemnisation à 100 % dès le premier jour d'arrêt maladie.

In fine, seules les maladies professionnelles psychologiques, encore marginales, continuent de s'étendre chez ces partenaires, concentrant désormais les efforts des acteurs de l'entreprise, et relançant le débat, comme

---

21. Voir Annexe 3, *infra* p. 103-104.

aujourd'hui outre-Rhin, sur le... harcèlement moral. Mais au total, l'amélioration des indicateurs de santé ou d'absentéisme s'est traduite dans ces pays par des gains de l'ordre de 1 % du PIB pour les comptes sociaux ou ceux des entreprises.

La France semble à la marge de cette tendance favorable. L'écart de fréquence d'accidents entre notre société et la moyenne européenne se creuse. Le mouvement d'intensification n'y a pas décéléré significativement. Le nombre de cas de TMS déclarés à la Sécurité sociale progresse toujours annuellement de 20 %. Depuis 2000, la France est même le seul grand pays à voir progresser nettement les accidents du travail impliquant un handicap permanent (même si la fréquence des accidents mortels continue heureusement de régresser): plus 15 % contre, par exemple, une baisse de 10 % en Allemagne [22]. L'absentéisme a crû dans la même proportion.

Même en retirant de la facture les conséquences de 30 ans de retard dans des dossiers comme celui de l'amiante, le coût des atteintes à la santé dues au travail s'envole et participe au creusement du déficit du régime général qui assume la plupart des maladies d'origine professionnelle, et aux déséquilibres de la branche travail. Contrastant avec l'attention portée au harcèlement moral, la prise de conscience de l'impact délétère de nouvelles organisations non matures sur la santé des travailleurs est tardive et encore balbutiante dans la plupart des entreprises françaises; c'est seulement en 2005 que l'État a reconnu les TMS comme un véritable problème de santé publique avec le Plan Santé Travail.

---

22. Voir Annexe 3, *infra* p. 104.

Ainsi, le « problème français » est moins lié à la mondialisation des modes de production ou au développement d'un capitalisme cynique, qu'aux défaillances d'un compromis collectif caractérisé par l'inadaptation de ses régulations et l'impréparation de ses élites.

Déclassement :
quand l'ascenseur social descend

Par Marie Duru-Bellat et François Dubet

Alors que nous avons longtemps vécu sur la confiance dans l'avenir, dans l'idée que demain serait meilleur qu'aujourd'hui, la tendance se renverse et nombre de Français pensent que demain sera pire qu'aujourd'hui et que nos enfants vivront plus mal que nous. En 2004, 60 % des Français se déclarent optimistes pour leur propre avenir alors qu'ils ne sont que 34 % à l'être pour celui de leurs enfants [23]. Ce sentiment ne procède pas d'un appauvrissement général (le niveau de vie moyen a sensiblement augmenté durant les vingt dernières années), mais de la crainte que le long processus de promotion et de mobilité sociale ne se retourne en menaces de chute et de déclassement, menaces d'autant plus mal vécues qu'elles prennent place dans une « société de classement » marquée par le souci de la sélection et de la hiérarchisation. Cette crainte est fondée : l'écart de revenus entre les trentenaires et les quin-

---

23. Note 395 de la DRESS, avril, 2004.

quagénaires n'a cessé de se creuser en faveur des plus âgés, passant de 15 % dans les années 1970 à 40 % aujourd'hui. Ainsi s'ancre la conviction selon laquelle les nouveaux venus seront plus mal traités que les anciens. Et le risque de la chute sociale remplace la confiance dans un « ascenseur » permettant à chaque génération de « monter », ne serait-ce que d'un étage.

Ce sentiment de déclassement prend notamment racine à l'école. Cette institution s'est longtemps appuyée sur la certitude que les études « payaient », certitude forgée à l'âge de l'élitisme républicain quand, les diplômes scolaires étant relativement rares, les enfants du peuple qui les obtenaient étaient sûrs de monter dans l'échelle sociale.

Elle s'est renforcée après les années 1950, tant que la multiplication du nombre des diplômés suivait celle des emplois qualifiés. Durant près de vingt-cinq ans, l'« ascenseur social » a donc fonctionné sans faiblir pour ceux qui obtenaient des diplômes. Aujourd'hui encore, les jeunes diplômés s'insèrent mieux dans l'emploi que ceux qui n'ont pas de qualification scolaire. Mais cette « loi » générale présente de nombreuses failles : les emplois qualifiés ayant crû beaucoup moins rapidement que les diplômes, de plus en plus de jeunes scolairement qualifiés n'accèdent pas aux emplois auxquels ils pensaient pouvoir prétendre.

Parmi les jeunes quittant l'école avec le baccalauréat à la fin des années 1960, soit environ 18 % d'une classe d'âge, 70 % devenaient cadres ou accédaient aux professions intermédiaires. Aujourd'hui, cette probabilité est tombée à 25 % alors que près de 70 % d'une classe d'âge est titulaire de ce même diplôme[24]. Plus encore, une enquête récente

---

24. Voir Annexe 4, *infra* p. 108.

de l'Agence pour l'emploi des cadres indique que, parmi les jeunes titulaires d'un bac + 4 et occupant un emploi, un tiers devient employé. Environ 35 % des jeunes titulaires d'un baccalauréat et d'un niveau supérieur entrés sur le marché du travail en 1998, sont déclassés par rapport aux positions qu'ils auraient occupées en 1990 [25].

Le déclassement est particulièrement net dans la fonction publique où 64 % des jeunes recrutés possèdent des diplômes très supérieurs à ceux que le concours requiert « normalement ». Tous les jeunes sont donc touchés, tous doivent en « rabattre » sur leurs espérances et leurs ambitions. C'est d'ailleurs un phénomène d'envergure européenne. Cependant, celui-ci est plus ou moins marqué selon les pays : ceux dont les systèmes de formation sont plus fortement associés au marché du travail connaissent à la fois moins de déclassement et moins de chômage des jeunes [26].

L'ampleur de ce déclassement a plusieurs conséquences. D'abord, dans le même univers de travail, l'adéquation entre le diplôme et l'emploi est de moins en moins assurée, et la qualité des emplois que l'on propose à ces jeunes plus instruits a souvent de quoi les rendre amers. Pensons aux « intellos précaires » qui se multiplient.

Ensuite, les rapports entre les générations s'en trouvent profondément déséquilibrés. Les enfants du baby boom ont bénéficié, à la fois, de la massification scolaire et de la forte croissance des emplois qualifiés, alors que leurs propres enfants, et bientôt leurs petits-enfants, doivent posséder beaucoup plus de diplômes pour espérer

25. Voir Annexe 4, *infra* p. 107.
26. Voir Annexe 4, *infra* p. 108.

retrouver la position de leurs aînés, comme l'a montré Louis Chauvel [27]. Ceci vaut pour les plus qualifiés comme pour les moins qualifiés : là où le père était ouvrier sans diplôme, le fils devra avoir obtenu, au moins, un baccalauréat professionnel pour égaler son père. Espoir incertain, du reste, car le taux de mobilité descendante des personnes nées en 1970 est deux fois supérieur à celui des personnes nées entre 1920 et 1950.

Enfin, si le déclassement touche toutes les catégories sociales, il le fait de manière très inégalitaire. D'une part, les « petites différences » entre les diplômes deviennent de grandes différences lors de l'entrée dans l'emploi. D'autre part, quand le lien entre le diplôme et l'emploi se distend, le « capital social », les relations et l'entregent jouent un rôle grandissant dans l'accès aux contrats d'apprentissage, aux stages, aux entretiens d'embauches... Et au bas de l'échelle, il arrive que certains jeunes découvrent que les diplômes ne préservent pas du plafond de verre de la ségrégation et de la mauvaise réputation des quartiers « difficiles ».

Bien que les jeunes fassent contre mauvaise fortune bon cœur, comme le montrent les taux, toujours inférieurs, de « déclassement subjectif » (c'est-à-dire de « sentiment de déclassement »), cette expérience reste douloureuse [28]. Pourquoi avoir fait tant d'études, pourquoi avoir imposé tant de sacrifices à sa famille, si c'est pour occuper des emplois très inférieurs aux ambitions et aux espérances forgées durant les années de formation ? Bien souvent, les jeunes ont le sentiment d'avoir été trompés par le système scolaire et cette déception n'est pas sans effets sur l'école elle-même. On sait

---

27. Louis Chauvel, *Le Destin des générations*, Paris, PUF, 1998.
28. Voir Annexe 4, *infra* p. 107.

que dans les quartiers les plus sensibles, l'amertume peut laisser place à la violence.

De manière moins spectaculaire, beaucoup d'élèves « décrochent » de l'école, choisissent de multiplier les petits boulots afin d'entrer, malgré tout, dans le monde du travail. Quel travail peut-on exiger d'un élève qui est dans une formation sans perspectives d'emploi ? Ces élèves et ces étudiants courent le risque de n'être socialisés ni à la culture scolaire ni à celle du monde du travail. L'affirmation un peu rituelle et vaguement hypocrite selon laquelle les études « paient *toujours* » ne doit pas masquer le fait que le doute s'installe ; le déclassement se répand, même s'il reste d'autant moins marqué qu'on est plus diplômé. Comment maintenir la foi dans la justice du mérite scolaire quand les méritants eux-mêmes finissent par perdre ? L'affirmation réitérée selon laquelle l'allongement des études et l'élévation du niveau de qualification scolaire sont un bien en soi repose à la fois sur des évidences et sur des illusions.

S'il est évident que chacun a intérêt à élever son niveau de diplôme, ne serait-ce que pour résister au déclassement, ce choix rationnel au niveau individuel entretient lui-même le déclassement général des diplômés au niveau collectif. Et, dans ce mécanisme, ce sont les plus faibles qui perdent le plus. Notre société a du mal à se défaire de l'illusion selon laquelle les diplômes pourraient se multiplier sans que leur relation à l'emploi n'évolue profondément.

Le déclassement n'est pas qu'une affaire de diplômes et de mobilité sociale limitée. Il est dominé par la crainte de la chute et cela, à tous les niveaux de la société. À la concurrence de ceux qui voulaient monter se substitue l'hostilité de ceux qui craignent de chuter. Les enquêtes sur le vote d'extrême droite montrent que le racisme « pur » et le nationalisme exalté pèsent moins que la peur de la prolétarisation et de la sous-prolétarisation, et la crainte de rejoindre le monde des parias et des étrangers, perçu comme une menace.

Dans les classes moyennes, la peur de la chute se manifeste par des phénomènes de fermeture et d'évitement. Fermeture sur les « avantages acquis » et les statuts souvent identifiés à l'intérêt de la nation et de la cohésion sociale quand les agents des services publics et des secteurs économiques protégés par l'État se défendent de toutes les mutations perçues comme des attaques contre leur position sociale. De manière moins politique, les catégories sociales qui en ont les moyens se regroupent et évitent ceux qui pourraient les entraîner dans leur chute. Les plus riches colonisent les centres-villes pendant que les classes moyennes fuient les banlieues difficiles, quitte à payer cette protection par de longues heures de transport.

L'observation des stratégies de choix des établissements scolaires est à cet égard sans ambiguïté : chacun cherche à fuir la catégorie sociale immédiatement inférieure dont la fréquentation pourrait, pense-t-on, provoquer le déclassement de ses propres enfants. Aussi assistons-nous à un paradoxe étonnant : alors que la culture de masse et les convictions démocratiques nous rapprochent, chacun cherche à se protéger de ceux qui pourraient le faire descendre.

L'emprise du déclassement et de la peur de tomber entraîne insensiblement une transformation des cadres de la représentation politique. Au clivage traditionnel opposant la droite et la gauche sur la foi dans le progrès et le partage des bénéfices, se substitue une autre fracture, plus sourde et peut-être plus réelle, mettant en jeu la concurrence des risques et des protections dans une société qui semble menacée par la globalisation des économies et des cultures.

Cet enjeu oppose ceux qui pensent pouvoir gagner dans le nouveau jeu qui se dessine, à ceux qui sont sûrs de perdre, non seulement leur position, mais encore leur identité et leur honneur social. Le référendum sur le traité de Maastricht et celui du 29 mai 2005 sur le projet de constitution européenne ont tous les deux montré que les clivages politiques n'opposaient pas traditionnellement la droite et la gauche, mais ceux qui espéraient encore monter ou tenir leur position, à ceux qui craignaient d'être emportés dans un déclassement fatal. Ainsi, la question de la nation, de sa nature et de sa cohésion recouvre-t-elle progressivement la question sociale puisque, les places étant plus rares, il importe de savoir qui peut trouver sa place dans la société en train de s'élaborer et qui ne peut y prétendre.

Au-delà de la seule question technique de savoir combien d'individus montent et combien descendent les échelles de la structure sociale, l'accroissement du risque de déclassement transforme profondément nos représentations de la vie sociale. Quelle croyance partagée peut remplacer la confiance dans le progrès quand les schémas hérités des Trente Glorieuses relèvent de l'illusion nostalgique ? Quelles sont les politiques sociales les plus justes possibles quand le ralentissement de la croissance conduit à partager des sacrifices et des pertes bien plus que des bénéfices ? Enfin, et la question irrigue désormais la totalité de nos débats, que sont la nation et la citoyenneté quand l'État et les classes dirigeantes nationales ne paraissent plus maîtriser l'avenir ?

Le fait que le déclassement soit engendré par des mécanismes structurels et lourds ne doit inviter ni au fatalisme, ni à une réaction malthusienne conduisant à restreindre l'accès aux études. Si l'égalité des chances reste nécessairement un objectif de justice, toutes les politiques ne peuvent tendre vers ce seul but car la compétition méritocratique engendre inévitablement des vaincus, et c'est leur sort qui importe. Dès lors, la réduction des inégalités entre les positions sociales et la répartition équitable des risques et des protections dans la vie professionnelle, le logement et la santé doivent rester au centre d'un projet de justice.

Pour ce qui est du système de formation, nous pouvons d'abord renforcer la culture commune acquise au cours des études obligatoires afin d'améliorer le sort des plus faibles, et donner à tous les jeunes les bases pour reprendre un jour des formations, si c'est nécessaire ou s'ils le souhaitent. Ensuite, il semble évident que toutes les formations devraient être plus activement couplées à l'emploi et à la vie active afin que les coûts de conversion de la formation scolaire à l'emploi soient plus réduits. Enfin, il est sans doute souhaitable de renforcer les dimensions culturelles et proprement éducatives des formations afin que les étudiants ne soient pas pris dans des nasses et qu'ils sortent grandis de leurs études. Sans oublier que les études ne sont pas tout et que c'est l'ensemble des parcours d'insertion des jeunes qu'il est nécessaire de repenser.

Fracture générationnelle :
une jeunesse sans destin

Par Louis Chauvel

La tentation de l'exil vécue par les mieux diplômés trouvant hors de France la position sociale qu'ils méritent, le déclassement d'une grande partie de la jeunesse française aux assignats universitaires dévalués et les jacqueries périurbaines que réinventent des lycéens en quête de respect, sont autant de signes inquiétants que nous offrent les nouvelles générations. Ces symptômes exigent un diagnostic approfondi : depuis Karl Mannheim, le père fondateur de la sociologie des générations, nous savons que les jeunes sont les premiers à assimiler les formes émergentes de l'esprit du temps pour propager ensuite ce *Zeitgeist* dans l'ensemble de la société. Aussi, interroger les nouvelles générations permet-il de distinguer les traits d'un avenir qui surgit.

Les difficultés des nouvelles générations ne datent pas d'hier : depuis plus de vingt ans, en France, le fléau du chômage des jeunes demeure sans solution. En 1984, avec le tournant de la rigueur et l'expansion du chômage de masse, le taux de chômage dans les 24 mois qui suivent la sortie des études culmine à 33 %, contre 6 % en 1973 – 25 % aujourd'hui. Les premiers-nés du baby-boom, même s'ils font face à des fins de carrière problématiques, sont en même temps les dernières générations entrées précocement dans le monde du travail dans un contexte de plein emploi, susceptibles de bénéficier de l'espoir d'une retraite complète à 60 ans. Si naguère il était possible de choisir son employeur, depuis vingt ans, une concurrence radicale autour de places raréfiées attend les jeunes à l'entrée dans la vie adulte : ce mode de socialisation a marqué l'ensemble des générations de moins de 45 ans aujourd'hui.

Devant le chômage de masse et la concurrence, les nouvelles générations ont dû réduire leurs prétentions salariales : en moyenne, en 1975, les salariés de cinquante ans gagnaient 15 % de plus que les salariés de trente ans, et aujourd'hui, l'écart est de 40 % [29]. Si naguère les classes d'âge adultes vivaient sur un pied d'égalité, les fruits de la croissance économique, ralentie depuis 1975, ont été réservés aux plus de 45 ans. En même temps, l'évolution des prix de l'immobilier complique la comparaison des niveaux de vie : comparés à ceux qui ont acheté leur logement voilà vingt ans, les jeunes font face aussi à des conditions de logement problématiques. Ils doivent travailler deux fois plus longtemps qu'en 1986 pour louer la même surface dans le même quartier ; et trois fois plus pour l'acheter. Souhaitons à ces jeunes propriétaires des plus-values comparables à celles dont ont bénéficié les seniors d'aujourd'hui, mais cela signifierait aussi la paupérisation définitive de la génération suivante, qui devrait dès lors passer toute sa vie à travailler pour se loger. Serait-ce simplement possible ?

---

29. Voir Annexe 5, *infra* p. 110.

Ces difficultés ne se résorbent pas avec l'entrée dans la vie. C'est ce que les Anglo-Saxons appellent un « *scarring effect* », un effet de cicatrice ou de scarification : le fait que les générations mal parties arrivent généralement mal. Contrairement à de nombreuses promesses répétées, les premières victimes du ralentissement, âgées de 45 ans maintenant, n'ont jamais rattrapé leurs difficultés à l'entrée dans la vie. Pire encore, dans le monde du travail, considérés comme « jeunes » de plus en plus tard, les nouveaux venus sont en même temps vieux de plus en plus tôt : de nombreux DRH qualifient de « seniors » les personnes de plus de 45 ans, voire plus tôt encore. L'âge idéal pourrait ne plus exister, et demain, beaucoup de « vieux » n'auront jamais connu le statut d'adulte autonome reconnu comme tel. La solidarité familiale a certes permis à ceux qui en bénéficient d'amortir ces chocs dont la violence aurait été sinon d'une autre visibilité, mais avec quelles conséquences ? D'une part, les entreprises ont fini par s'habituer à faire travailler les jeunes *pour presque rien*, grâce aux généreuses subventions des familles. D'autre part, en agissant comme un puissant analgésique, cette solution a fait oublier le mal qui empire, d'où le besoin de doses croissantes.

La génération née vers 1945 avait en quelque sorte bénéficié de la déveine historique de ses parents qui, pour avoir eu vingt ans autour de 1940, avaient vécu les plus dures années du XXᵉ siècle. Les premiers baby-boomers, adultes à la fin des années 1960, ont ainsi bénéficié d'une mobilité ascendante exceptionnelle : à 25 ans, leur pouvoir d'achat était trois fois plus élevé que celui de leurs parents au même âge. L'automobile, conquête d'une vie de labeur pour les parents, était acquise d'emblée, et de ce point de départ les carrières progressaient encore avec certitude.

Pour leurs propres enfants, nés vers 1975, ces conditions d'ascension sociale sont nettement compromises, simplement parce que la structure sociale au moment du recrutement est marquée par une dynamique nouvelle [30].

L'analyse fine des transformations de la structure sociale française montre l'involution générationnelle du modèle fondé sur une abondante « nouvelle classe moyenne salariée » [31] dont les représentants typiques sont notamment les techniciens, les instituteurs, les personnels qualifiés de la santé et du travail social, les agents de maîtrise. Lorsque l'on établit les moyennes sur l'ensemble de la population, sans distinction d'âge, l'involution de ces groupes intermédiaires est encore invisible, mais lorsque l'on travaille plus finement, en analysant les décrochements selon les cohortes de naissance, le retournement est clairement observé pour ceux qui sont venus au monde après 1955 : le développement des catégories intermédiaires de la société s'est rompu à la racine du renouvellement générationnel. Chez les jeunes actifs, la dynamique porteuse est maintenant au sommet du salariat privé, à l'étage des avocats d'affaires, de l'expertise comptable internationale, de la consultance, de la finance, du management et de l'état-major des grandes entreprises, autant de groupes sociaux où confort matériel et faible visibilité de long terme vont de concert ; à l'autre extrémité de la pyramide sociale, la précarité va de pair cette fois-ci avec la modestie du niveau de vie.

Si la dynamique ancienne bénéficiait (du point de vue démographique et économique) à une large moitié supérieure

---

30. Voir Annexe 5, *infra* p. 110 et *sq*.

31. Alain Touraine, « Anciennes et nouvelles classes sociales », dans G. Balandier, *Perspectives de la sociologie contemporaine*, Paris, PUF, 1965.

de la société, en particulier chez les détenteurs de « capitaux culturels » garantis par l'État, la nouvelle n'est réellement porteuse que pour un petit dixième à peine de la population des nouveaux venus, pour qui le confort demeure incertain. Il en résulte que, en termes de mobilité intergénérationnelle, quarante ans plus tard, les enfants de la « nouvelle classe moyenne salariée » ont moins de place dans leur classe d'origine, et si une fraction d'entre eux peut espérer une position vraiment plus enviable que leurs parents, une part plus considérable doit s'attendre à vivre un vrai déclassement social [32]. Les jeunes ne sont pas seulement bardés de diplôme dévalués (si le baccalauréat de 1965 permettait d'être instituteur, la licence de 2000 n'y suffit plus), mais aussi, de plus en plus souvent, les enfants ratés de parents prodiges : si le père a pu naître dans les classes populaires et accéder aux classes moyennes, le fils et la fille risquent plus souvent de suivre le mouvement inverse. Le déclassement n'est plus simplement scolaire, mais aussi social, car pour la première fois en période de paix, la situation globale de la jeune génération est moins favorable que pour celle de ses parents. Faute d'accompagnement collectif de ces trajectoires, naguère exceptionnelles, l'intériorisation d'un échec en apparence personnel, mais qui n'est autre qu'une débâcle collective, peut avoir des effets psychologiques délétères, mais aussi des conséquences politiques dangereuses.

Ce déclin social de la jeunesse s'accompagne de son renoncement au moins apparent à la mobilisation. Elle a cessé d'être l'acteur politique déterminant qu'elle avait été voilà trente ans. La participation aux formes les plus institutionnelles du politique s'effondre chez les jeunes : en 1982, l'âge moyen du représentant syndical ou politique était de

---

32. Voir Annexe 5, *infra* p. 110 et *sq*.

45 ans; il est de 59 ans en 2000. Les députés de moins de 45 ans représentaient 38 % de l'Assemblée en 1981, et seulement 15 % en 2002; l'âge médian des députés était de 52 ans en 1997 et de 57 ans en 2002 [33]. En même temps, le vieillissement et l'extinction du lectorat de la presse (plus de 50 % de lecteurs quotidiens pour les générations nées en 1930, 15 % pour celles nées en 1970, sans réel retour à la lecture avec l'âge) va dans le même sens d'un retrait général. S'il est faux de dire que les jeunes ne sont plus informés et ne s'intéressent plus à la politique, leur participation au débat est toutefois réduite, tout comme leur capacité à infléchir les décisions. En dehors des syndicats d'étudiants et de ce qui reste des jeunesses des grands partis politiques, les jeunes de moins de 45 ans sont à peu près absents des débats institutionnels qui portent sur les orientations de long terme, alors même qu'ils en assumeront les entières conséquences.

En même temps, le comportement politique des jeunes pose de vrais problèmes. Sans compter leur basculement inattendu dans le « non », entre le référendum de Maastricht et celui du 29 mai 2005, la comparaison des premiers tours des présidentielles de 1988 et de 2002 montre comment la désertion des jeunes, en particulier ceux des classes populaires et intermédiaires, a lourdement contribué à la relégation de Lionel Jospin au troisième rang. Il est à craindre que nous n'ayons pas encore mesuré toutes les conséquences de la *dyssocialisation* politique des nouvelles générations.

Il ne s'agit pas ici d'attiser une guerre à venir entre les générations, et l'intérêt de ces enjeux ne consiste pas dans

---

33. Voir Annexe 5, *infra* p. 110 et *sq.*

l'instruction d'un procès intergénérationnel où il s'agirait d'établir les lourdes responsabilités des anciens dans le désastre présent, précurseur de cataclysmes annoncés. La question est bien plus celle du pronostic : les nouvelles générations préfigurent le monde de demain qui émerge avec elles. Les jeunes impécunieux d'aujourd'hui seront les vieux pauvres du milieu du XXIe siècle puisque, par effet de scarification, les générations mal parties arrivent généralement mal.

Les nouvelles générations nous permettent de lire par anticipation l'avenir que la société française se prépare. Paupérisées, préfigurant des inégalités croissantes, promises au déclassement, elles sont aussi marquées par un développement humain problématique : en France, le taux de mortalité des trentenaires, 50 % supérieur à ce qu'il est en Suède, est semblable aujourd'hui à celui des Hongrois. Sensibles au nouvel éloge de la fuite, les plus doués renoncent à essayer d'exercer ici une inventivité qui trouvera dans d'autres pays une place où s'épanouir. Ces nouvelles générations nous confrontent à nos impasses, à une voie vers le sous-développement. Ce pronostic risque bien de se réaliser si nous ne faisons rien, si nous nous contentons des petites mesures qu'à court terme nous affectionnons tant. Il serait certes caricatural de dire que les nouvelles générations sont à la fois les victimes d'un libéralisme qui protège les libertés de ceux qui en ont les moyens, et d'un faux socialisme qui a oublié ses enfants. Le débat sur la dette le montre bien : en confondant sous le même nom de déficit le surcroît d'investissement vital pour l'avenir et l'entretien de la consommation pure, nous finissons par accabler les jeunes sous une dette dont ils ne bénéficient en rien et que leur mauvais départ dans la vie ne leur permettra pas de porter.

En même temps, dire que nous avons tout fait au cours des vingt dernières années pour améliorer le sort des jeunes serait faux, tout autant que d'affirmer que l'on n'y peut rien. En réalité, seuls les pays du sud de l'Europe ont fait aussi mal que nous. Avec une démographie semblable et une contrainte macroéconomique similaire, l'exemple des pays nordiques en matière d'intégration de la jeunesse montre que des politiques mettant la priorité, et les moyens, sur l'intégration précoce des jeunes dans de vrais emplois valorisés, au même titre que n'importe quel autre adulte, permettent une réelle transmission d'un pacte social intergénérationnel renouvelé. En cotisant tôt, en s'intégrant précocement, en étant rapidement autonome par le travail, les jeunes pourront retourner ensuite à l'université où ils sauront tirer bénéfice des enseignements qui leur sont proposés. Nous ne serons certes pas Suédois en 24 heures, et, dans les relations entre partenaires sociaux, il nous manque avant tout cette culture de responsabilité sans laquelle rien ne se fera. Nous avons ainsi perdu vingt ans à nous rassurer en attendant le retour de la croissance rapide, vainement. Le diagnostic établi ici ne relève pas de la déclinologie, mais d'un pessimisme méthodologique qui doit nous aider à voir nos impasses pour trouver peut-être la force d'en sortir. Maintenant, l'urgence est réelle. Quel projet d'avenir la société française offre-t-elle à ses nouvelles générations ? Là est bien la question : est-il seulement possible de parler de projet ?

Quelle discrimination positive à la française ?

Par Thomas Piketty

Tout le monde en convient : la société française doit inventer de nouvelles politiques permettant de faire progresser concrètement l'égalité des chances, « l'égalité des possibles » pour reprendre l'expression d'Éric Maurin[34], notamment en matière scolaire. L'élévation générale des niveaux d'éducation a suscité des frustrations à la mesure des espoirs placés en elle. Les inégalités de parcours et de réussite scolaire se sont simplement translatées vers le haut, quand elles ne se sont pas accrues – encore que ce point tende à être exagéré aujourd'hui : le paradis perdu de l'ascenseur social tournant à plein régime n'a jamais existé, pas plus que celui de l'emploi à vie.

Simplement, les inégalités sont devenues moins lisibles. Autrefois, l'inégalité était brute : certains devaient commencer à travailler à 14 ou 16 ans pour gagner leur vie,

---

34. Voir Éric Maurin, *L'Égalité des possibles. La nouvelle société française*, Paris, La République des Idées / Seuil, 2002.

alors que d'autres avaient la chance de pouvoir poursuivre leurs études. Aujourd'hui, chacun peut ou croit pouvoir accéder à une formation longue, mais des inégalités plus subtiles reviennent en cours de route (entre filières générales et professionnelles des lycées, à l'intérieur des filières du supérieur…), et ceux qui ratent le bon embranchement et qui connaissent le plus fort chômage à la sortie sont souvent les mêmes qui travaillaient tôt autrefois – l'emploi en moins. Toutes les sociétés connaissent le même défi : à partir du moment où un certain niveau de formation de base s'est universalisé, l'enjeu est d'aller plus loin, et d'inventer des politiques permettant à ceux qui font face à un fort handicap initial de connaître les mêmes chances de réussite scolaire et professionnelle que les autres. Qu'on le veuille ou non, le débat sur la discrimination positive – terme générique imprécis par lequel on désigne le plus souvent les politiques visant à donner plus de moyens de réussir à ceux qui en ont le moins – s'est imposé en France.

Ce terme de « discrimination positive » est en soi problématique, car il tend à orienter le débat français vers des solutions américaines, qui ne sont pas les seules. Certes, personne ne propose d'appliquer en France les dispositifs d'admission préférentielle de certaines catégories ethniques dans les universités, sur lesquels s'est construite la discrimination positive outre-Atlantique. Ces références ethniques ne peuvent avoir leur place que dans la réalité américaine, où pour des raisons historiques évidentes la question sociale s'est structurée autour de la question raciale. Il est cependant frappant de constater à quel point le débat français se focalise sur le même type de mécanisme d'admission préférentielle dans les filières sélectives du supérieur, à la façon de ce que fait Sciences-Po pour les lycéens issus de

ZEP depuis quelques années, ou de la classe préparatoire réservée aux lycéens de ZEP qui ouvrira à Henri-IV à la rentrée 2006 – à la différence notable près que les catégories bénéficiant d'une admission préférentielle sont ici définies sur une base territoriale et non ethnique. Ces dispositifs susciteront les mêmes débats qu'outre-Atlantique : ils permettent de donner une chance à des jeunes découragés et qui n'auraient jamais osé se porter candidat à ces filières, mais dans le même temps ceux qui auraient pu être admis de toute façon risquent de souffrir du regard qui sera porté sur eux à la suite de leur admission hors norme. En l'espèce, il est probable que les effets positifs l'emportent : augmenter le nombre de lycéens de ZEP suivant avec succès ces filières élitistes (actuellement infinitésimal) pourrait avoir un impact psychologique important. Mais si de tels dispositifs étaient étendus à des effectifs autres que symboliques, puis généralisés, ces débats resurgiraient assurément. Sauf précisément à inventer de nouvelles formes de discrimination positive à la française, exploitant la principale différence qui sépare catégories ethniques (ou sociales, d'ailleurs) et catégories résidentielles : on peut changer de résidence, pas d'origine ethnique (ni sociale). D'où la proposition ingénieuse formulée par Patrick Weil d'admettre en classes préparatoires les 7 % à 8 % des élèves les meilleurs de chaque lycée, en particulier ceux de ZEP[35]. Cela pourrait avoir un effet fort sur la mixité sociale (beaucoup de parents calculateurs voudraient alors mettre leurs enfants en ZEP), qui pourrait contrebalancer largement les effets pervers habituels.

---

35. Voir Patrick Weil, *La République et sa diversité*, Paris, La République des Idées / Seuil, 2005.

Il reste que de telles politiques ne permettent pas de corriger les retards scolaires déjà considérables accumulés à l'adolescence. Lors des tests de compétences passés à l'entrée en CP, avant même d'avoir commencé leur vie scolaire, les enfants d'ouvriers obtiennent en moyenne des scores de plus de 10 points inférieurs à ceux des enfants de cadres, soit pratiquement l'équivalent d'un écart type, ce qui est considérable[36]. Et si l'inégalité apparaît plus faible au niveau des notes obtenues au baccalauréat (6 points, à peine plus de la moitié d'un écart type), c'est tout simplement parce que les enfants d'ouvriers ont déjà largement disparu en cours de route : ils forment 38,9 % des enfants à l'entrée en CP, et seulement 19,2 % en terminale générale (les enfants de cadres passent eux de 19,2 % à 29,7 %).

Pour lutter contre ce type radical d'inégalité des chances, il faut agir à un âge très précoce, dès les premières classes du primaire, où se forment des inégalités durables. Et contrairement à une idée reçue, il est faux d'affirmer que rien de tangible ne puisse venir des réductions ciblées de tailles de classe. De telles politiques ont certes un petit côté « mécaniciste » qui les rendent suspectes à beaucoup de fins penseurs du social – mais au moins ont-elles le mérite d'appartenir à l'espace des politiques possibles. Le scepticisme qui les entoure s'explique également par un biais statistique classique en matière d'évaluation de politiques publiques, consistant à confondre corrélation et causalité. Si l'on examine la corrélation brute entre taille de classe et réussite scolaire, on constate qu'elle va dans le mauvais sens : les élèves placés dans des classes plus petites ont plutôt tendance à avoir de moins bons résultats scolaires que les

---

36. Voir Annexe 6, *infra* p. 116.

autres ! Cela vient évidemment du fait que des classes plus réduites ont précisément tendance à être allouées aux écoles plus défavorisées au départ, handicap initial que le léger ciblage des moyens ne peut compenser. On peut certes raisonner « toutes choses égales par ailleurs », c'est-à-dire en comparant des écoles ayant le même pourcentage d'ouvriers, appartenant au même type d'agglomérations, etc. Mais cela n'est généralement pas suffisant, car il existe souvent des caractéristiques non observables pour le chercheur mais connues des acteurs locaux expliquant pourquoi deux écoles apparemment semblables ont obtenu des tailles de classes différentes. On retrouve le même problème quand on cherche à évaluer l'impact du nombre de policiers sur la délinquance : la corrélation va dans le mauvais sens, y compris « toutes choses égales par ailleurs », tout simplement parce que l'on met généralement plus de policiers là où ça va mal. En l'occurrence, des études exploitant les variations brutales du nombre de policiers précédant des élections ont pu trouver un effet allant dans le « bon » sens : la délinquance baisse, quoique assez modérément.

Dans le cas des tailles de classes, on peut dépasser ces difficultés en exploitant les discontinuités liées aux seuils d'ouverture et de fermeture de classes. Au niveau du CE1, on constate par exemple que les écoles obtiennent généralement une seconde classe au-delà de 30 élèves inscrits, si bien que la taille moyenne de classe chute de façon importante dans les écoles comptant 32-33 enfants inscrits plutôt que 28-29 [37]. Or on observe que ces variations aléatoires des tailles de classe, conséquence des hasards de la démographie locale, engendrent à l'entrée en CE2 des variations

---

37. Voir Annexe 6, *infra* p. 118.

parfaitement symétriques de la réussite aux tests de mathématiques[38]. Il est d'autant plus difficile d'expliquer ces résultats autrement que comme une relation causale que ces variations n'existaient pas pour les mêmes élèves au niveau des tests à l'entrée en CP. Si l'on décompose les résultats, on constate également que les effets sont sensiblement plus importants pour les enfants défavorisés. Les coefficients obtenus sont quantitativement importants : par exemple, une réduction de la taille des classes à 17 élèves en CP et CE1 en ZEP (au lieu de 22 actuellement) permettrait de réduire de près de 45 % l'inégalité en mathématiques à l'entrée en CE2 entre écoles ZEP et hors ZEP[39]. Aucune étude ne peut dire quel serait l'impact à l'âge adulte, mais tout laisse à penser qu'il pourrait être du même ordre. On notera que ces résultats ont été obtenus sans que des brigades d'inspecteurs d'académie viennent donner de nouvelles instructions pédagogiques aux enseignants lors des franchissements de seuils : contrairement à une idée tenace en sciences de l'éducation, les instituteurs semblent tout à fait capables de tirer eux-mêmes parti de classes plus réduites.

En appliquant la même méthode aux collèges et aux lycées, on obtient des effets statistiquement significatifs, mais sensiblement moins importants. La suppression des lycées classés en ZEP (qui sont d'ailleurs peu nombreux) n'aurait que des conséquences marginales, de même qu'une réduction ciblée de 5 élèves par classe : l'inégalité de réussite scolaire (notes au bac) entre lycées ZEP et hors ZEP progresserait de 2 % dans un cas, et diminuerait de 5 % dans l'autre[40].

---

38. Voir Annexe 6, *infra* p. 119.
39. Voir Annexe 6, *infra* p. 120.
40. *Ibid.*

Les marges de manœuvre sont plus importantes au collège, où selon nos estimations les ZEP sous leur forme actuelle permettent tout de même de réduire les inégalités de près de 10 %, et où une réduction supplémentaire de 5 élèves par classe permettrait une baisse additionnelle de 28 %. Mais c'est au niveau du primaire que le ciblage des moyens est susceptible d'avoir les plus forts effets. Tout cela confirme qu'il est préférable d'agir au plus jeune âge si l'on souhaite corriger les handicaps initiaux, et que les inégalités sont plus difficiles à corriger pour les enfants plus grands.

Que l'on ne s'y trompe pas : une telle politique représenterait des redéploiements considérables de moyens. Si l'on souhaitait la mettre en œuvre à moyens constants (le primaire est globalement bien doté en France), elle entraînerait une légère hausse des effectifs hors ZEP, sans impact réel sur les enfants concernés, mais qui ferait bondir les parents en question. Surtout, elle exigerait que l'on explicite les moyens supplémentaires auxquels donne droit le classement en ZEP, ce qui n'a jamais été fait, et que l'on se donne les moyens d'évaluer cette politique, y compris la procédure de classement. Plus difficile à mettre en œuvre, une telle politique aurait pourtant le mérite de dessiner une autre forme de discrimination positive à la française, fondée sur l'allocation de réels moyens supplémentaires aux territoires qui font face aux plus lourds handicaps.

Couplé avec des dispositifs ingénieux d'admission préférentielle dans le supérieur, ce ciblage assumé des moyens au primaire permettrait de tenir les deux bouts de la chaîne. D'autres politiques restent bien sûr à inventer. Mais après une période d'échanges quasi théologiques sur la notion même de discrimination positive et sur le dilemme égalité/équité, il est plus que temps aujourd'hui que le débat français entre dans une seconde phase, avec des discussions plus techniques et plus précises sur le contenu même des politiques susceptibles d'être mises en œuvre, ici et maintenant.

Les formes modernes de la pauvreté

Par Martin Hirsch

« On se demande finalement si la société n'a pas besoin de ses pauvres pour exister »[41]. Telle est la conclusion pessimiste d'une histoire de la pauvreté au XXᵉ siècle que l'on aimerait contredire. Mais la France réalise la triste prouesse de cumuler haut niveau de dépenses sociales, déficits publics massifs, faible performance de la redistribution, chômage de masse et pauvreté non jugulée.

Les comparaisons internationales montrent que la réduction de la pauvreté implique des dépenses sociales élevées. De ce point de vue, la France se situe à un niveau moyen entre les pays scandinaves qui acceptent de fortes dépenses pour une pauvreté faible, et les pays du Sud de l'Europe où la pauvreté reste élevée mais les solidarités familiales très actives pour compenser la faiblesse des systèmes de protection sociale. De fait, la France compte plus de pauvres qu'elle ne « devrait » compte tenu de sa richesse et

---

41. André Gueslin, *Les Gens de rien, Une histoire de la grande pauvreté dans la France du vingtième siècle*, Paris, Fayard, 2004.

de sa dépense. En outre, si sa situation reste moins prononcée, en valeur absolue, que celle du Royaume-Uni, elle est désormais sur une pente défavorable contrairement aux Britanniques qui ont réussi à réduire d'un quart la proportion d'enfants pauvres au cours des cinq dernières années. Dans ce contexte, faudra-t-il prolonger encore longtemps une purge sociale à bas bruit pour concevoir autrement les politiques de lutte contre la pauvreté ? Ou sera-t-on capables d'épargner rapidement aux plus vulnérables une dégradation continue de leurs conditions de vie ?

Purge sociale. Ce sont bien les mots qui viennent à l'esprit lorsqu'on prend connaissance des dernières statistiques : en 2003, le taux de pauvreté est passé de 5,9 % à 6,3 % [42]. Des chiffres qui recouvrent des réalités terribles : habitat indigne, menaçant parfois la santé des occupants ; records de fréquentation des « Restos du cœur » ; explosion du surendettement ; errance de familles, été comme hiver. Pour ne citer que quelques conséquences.

---

42. Ce taux de pauvreté monétaire est un indicateur imparfait. Il mesure davantage les inégalités entre les riches et les pauvres que véritablement la pauvreté. Le seuil de pauvreté correspond à une définition évidemment arbitraire. La France a choisi comme seuil de pauvreté celui correspondant à 50 % du revenu médian (revenu en-dessous duquel se trouve 50 % de la population), alors qu'Eurostat utilise un seuil correspondant à 60 % de ce revenu. Si la différence entre les deux n'est que de 65 euros par mois, le taux est, lui, très différent. En 2001, le taux de pauvreté en France était de 6,1 % avec un seuil à 50 %, mais de plus du double (12,4 %, soit plus de 7 millions de personnes), avec un seuil fixé à 60 % du revenu médian. De même, selon que l'on utilise l'un ou l'autre seuil, la France compte 1 ou 2 millions d'enfants pauvres. Ces variations traduisent la concentration de la population autour du seuil de pauvreté, ce que l'on appelle l'intensité de la pauvreté. Notons également que l'utilisation du seuil de 60 % du revenu médian donne un taux de pauvreté qui coïncide mieux avec d'autres indicateurs, comme les enquêtes sur les conditions de vie des ménages ou les données recueillies en interrogeant les ménages sur la pauvreté ressentie.

Pourtant le taux de pauvreté avait baissé presque sans interruption durant toute la seconde moitié du XXᵉ siècle. Ainsi entre 1970 et 2000, il avait été divisé par 2 (12 % de la population en 1970, 5,9 % en 2002). Cette amélioration était essentiellement liée à la réduction spectaculaire de la pauvreté chez les plus de soixante ans : alors que plus d'un quart des retraités (28 %) étaient pauvres en 1970, seuls 4 % d'entre eux le demeuraient en 1997, leur taux de pauvreté étant devenu très inférieur à la moyenne nationale. Cette évolution remarquable s'explique par la montée en charge des régimes de retraite, ainsi que par l'augmentation du taux d'activité des femmes (celles-ci, lorsqu'elles restent seules, ne dépendent plus d'une faible pension de réversion, mais des droits qu'elles ont elles-mêmes acquis en travaillant).

En somme, alors que l'image traditionnelle de la misère a longtemps été associée à celle de la vieillesse impécunieuse – en dehors des périodes de guerre et de crise où la pauvreté pouvait toucher tous les publics –, les plus âgés ont aujourd'hui la proportion la plus faible de pauvres et le pouvoir d'achat moyen par personne le plus élevé.

Toutefois cette baisse sensible a masqué une tendance beaucoup plus défavorable, car, dans le même temps, le taux de pauvreté chez les actifs a augmenté, plus légèrement certes, mais continuellement. Cette évolution insidieuse s'est traduite par trois phénomènes qui s'accentuent sur la période la plus récente : l'augmentation du nombre d'allocataires des minima sociaux d'abord, l'émergence d'une population de travailleurs pauvres ensuite et, enfin, ce qui est particulièrement préoccupant, des frontières entre pauvreté, exclusion et précarité qui se sont brouillées pour englober dans l'insécurité sociale[43] une partie croissante de la population.

Les minima sociaux ont été créés pour permettre de ne pas laisser sans ressources celles et ceux qui étaient dans l'incapacité d'avoir un revenu lié à leur travail passé – c'est le minimum vieillesse – ou qui en étaient empêchés par une incapacité physique ou mentale (l'allocation supplémentaire invalidité puis l'allocation adulte handicapé). Dans les années 1980, il a fallu admettre que, même sans être âgé ou handicapé, on pouvait en France se retrouver sans ressource. On découvrit ainsi les « nouveaux pauvres », catégorie considérée comme résiduelle qui se serait glissée dans les interstices d'un système de protection sociale dont les fondements n'étaient pas en cause. C'est pour eux qu'ont été créés d'autres minima sociaux, dont le plus connu est le Revenu minimum d'insertion (RMI), ou l'allocation pour parent isolé. L'objectif était que nul résident régulier sur le territoire national ne puisse se trouver sans un minimum de ressources. En 2004, ce sont près de 6 millions de personnes qui vivent de ces minima sociaux : ce qui signifie qu'une personne sur dix vit avec 15 à 25 euros par jour pour couvrir l'ensemble de ses dépenses (logement, nourriture, habillement, transports, loisirs, etc.) ; ce qui lui laisse 2 à 3 euros de « reste à vivre » une fois déduites les dépenses de logement. Ainsi 5 % de la population française n'a pas les moyens de manger de la viande, du poulet ou du poisson tous les deux jours. Encore plus inquiétant, 3 % des ménages déclarent qu'il leur arrive de passer une journée sans prendre au moins un

43. Robert Castel, *L'Insécurité sociale. Qu'est-ce qu'être protégé ?*, Paris, La République des Idées/Seuil, 2003.

repas complet par manque d'argent, au cours des deux dernières semaines.

Être pauvre, dit-on souvent à juste titre, c'est ne plus avoir les moyens de choisir le cours de sa vie, celui-ci étant dicté par les contraintes matérielles presque insurmontables auxquelles on doit faire face. Ne pas avoir les moyens de choisir son lieu de résidence, son travail, l'organisation de ses loisirs, ni même souvent de pouvoir librement disposer de ses ressources. Des études montrent d'ailleurs que la notion de pauvreté est rapidement intériorisée, de telle sorte que les enfants de familles pauvres interrogées sur leurs souhaits professionnels, se ferment spontanément un certain nombre de portes pour n'afficher que des prétentions modestes en regard de leur milieu social. Être pauvre, c'est également ne pas pouvoir choisir son médecin, mais être « choisi » par celles et ceux qui acceptent sans discrimination des patients bénéficiaires de la Couverture maladie universelle (CMU) ou, plus difficile encore, des patients relevant de l'aide médicale d'État [44].

C'est le RMI qui compte aujourd'hui le plus grand nombre d'allocataires, avec des effectifs en constante et rapide progression. Alors qu'il avait été conçu pour ceux qui se trouvaient dans « l'incapacité de travailler » [45], il est devenu le troisième et dernier palier de l'indemnisation des chômeurs :

---

44. Voir les enquêtes réalisées par Médecins du monde, à Marseille notamment, sur la proportion de médecins qui refusent les bénéficiaires de la couverture maladie universelle.

45. L'article 1er de la loi du 1er décembre 1988 instaurant le RMI dispose que « toute personne qui, en raison de son âge, de son état physique ou mental, de la situation de l'économie et de l'emploi, se trouve dans l'incapacité de travailler, a le droit d'obtenir de la collectivité des moyens convenables d'existence ».

après l'assurance chômage et l'allocation spécifique de solidarité, on atteint désormais plus rapidement le RMI et l'on y reste plus longtemps.

Au fil du temps, le RMI a donc profondément changé de vocation sans avoir été réformé, malgré de nombreux signaux d'alerte. On a souvent raillé le « I » de RMI, pour souligner l'échec fréquent du volet insertion. On a moins fréquemment perçu que le « M » signifiait désormais autant « Maximum » que « Minimum » pour une grande partie des allocataires. Conçu comme un plancher, il est aussi devenu un dispositif plafond, qui maintient dans la pauvreté : avec un marché du travail peu hospitalier pour les non qualifiés, il est fréquent que le retour à l'emploi pour les allocataires ne se traduise pas par un gain de revenus. Ce faible écart entre revenu d'assistance et salaire minimum est souvent dénoncé, sans que les conséquences n'en aient jamais été véritablement tirées, la prime pour l'emploi ne constituant qu'un faible complément de revenus.

Écart d'autant plus faible qu'on peut désormais travailler et demeurer sous le seuil de pauvreté. L'émergence des travailleurs pauvres est d'autant plus préoccupante qu'il s'agit d'une forme de pauvreté dont la France se croyait à l'abri. Dans les analyses des différents modèles sociaux, on avait l'habitude d'opposer ce qui caractérisait les Anglo-Saxons, avec leur « *workfair* » et leurs « *working poor* », au modèle français, censé capable d'éviter ce phénomène grâce au salaire minimum et à un droit du travail plus protecteur[46].

Certains pays connaissent non seulement depuis longtemps l'existence de travailleurs pauvres, mais l'assument :

---

46. Sur ce sujet, voir Dominique Méda et Alain Lefebvre, *Faut-il brûler le modèle social français ?*, Paris, Seuil, 2006.

mieux vaut être pauvre et travailler qu'être totalement exclu du système productif, disent-ils. Cela a été, à l'inverse, un argument en France, pour défendre un modèle social qui reposait sur le choix explicite de ne pas appauvrir les travailleurs. Par quel contournement de ces protections, les travailleurs pauvres ont-ils pu malgré tout apparaître ? Par l'intervention de plusieurs paramètres : ceux inhérents au marché du travail – le développement du temps partiel subi, les alternances de période de travail et de périodes chômées favorisées par la multiplication des embauches en contrat à durée déterminée et le faible niveau de rémunération des emplois non qualifiés – conjugués aux évolutions de la structure familiale. En effet, la plupart des travailleurs pauvres sont des travailleuses qui vivent seules avec des enfants à charge. Parmi eux, il y a bien entendu ceux qui ont travaillé moins de six mois dans l'année[47] ou qui n'ont qu'un emploi à temps partiel. Toutefois, de manière surprenante, les personnes qui bénéficient d'un emploi à temps complet toute l'année représentent 35 % de l'ensemble des actifs pauvres[48].

Cette évolution a fait l'objet d'une analyse cruelle, mais qui avait le mérite de la franchise, de la part de l'un des principaux responsables de la grande distribution lors d'un colloque organisé par Emmaüs France au moment du débat sur l'instauration du revenu minimum d'activité[49]. Alors qu'était évoquée la difficile situation des caissières de supermarché et de leur temps partiel subi, le président

---

47. Mais au moins un mois dans l'année pour être considéré comme « travailleur ».
48. Observatoire national de la pauvreté et de l'exclusion sociale, rapport 2005-2006.
49. Novembre 2002, colloque organisé par Emmaüs France.

de la Fédération du commerce et de la distribution eut cette réponse : « Avant, elles étaient mariées, le demi-salaire minimum qu'on leur donnait correspondait à un revenu d'appoint satisfaisant dans le ménage. Est-ce la faute des entreprises si maintenant beaucoup d'entre elles ont divorcé ? ». Cette remarque cynique est une parfaite illustration du nouveau contexte socio-familial de la pauvreté – le travail féminin non qualifié dont la rémunération ne permet plus de faire vivre une famille – auquel ni le système de protection sociale, ni l'environnement économique ne se sont adaptés.

Quand le travail, même à plein temps, ne garantit plus de franchir le seuil de la pauvreté et quand ceux qui vivent des minima sociaux n'appartiennent plus aux catégories pour lesquelles cet ultime filet de sécurité a été conçu, les frontières de la pauvreté se brouillent. Il n'y a pas d'un côté les pauvres correspondant strictement à la définition statistique du terme, et de l'autre 90 % de la population à l'abri de la pauvreté. On observe au contraire une diffusion des facteurs de précarité, formant comme un grand halo de vulnérabilité au-delà de la population dont les ressources sont inférieures au seuil de pauvreté monétaire, c'est-à-dire moins de la moitié du revenu médian des ménages.

Avant d'être une définition statistique, plus ou moins satisfaisante et fiable, la pauvreté est d'abord une souffrance qui se caractérise par l'intrication de difficultés multiples : inadéquation de la formation et de la qualification – quand il ne s'agit pas d'illettrisme –, chômage, difficulté pour garder les enfants en bas âge, mauvaises conditions de logement, hostilité de voisinage, problèmes de santé, surendettement, difficultés alimentaires, problèmes de transport, vulnérabilité familiale. C'est l'enchevêtrement de ces différents handicaps qui entretient la pauvreté et limite l'efficacité des modes d'intervention traditionnels, lesquels reposent sur des dispositifs spécifiques pour chaque problème. Quand la pauvreté résulte d'une combinaison de plusieurs difficultés, tenter de n'en résoudre qu'une seule, c'est comme n'en résoudre aucune.

Auparavant, un emploi garantissait l'accès à un logement décent : aujourd'hui, une proportion importante des personnes sans domicile fixe conservent un lien avec le monde du travail et des salariés vivent dans des conditions de logement indignes : des employés municipaux que l'on découvre passant la nuit dans leur voiture, des salariés qui vivent dans des foyers d'hébergements d'urgence, des familles qui habitent dans un mobile home sans confort pour un loyer qui peut atteindre 600 à 700 euros par mois [50]. Le recours au crédit à la consommation est désormais fréquemment la seule issue pour payer les dépenses de la vie courante – électricité, factures diverses – que le salaire ne permet plus de couvrir. Le nombre de dossiers de surendettement a doublé en dix ans, passant de moins de 90 000 dossiers déposés en 1995 à 188 000 en 2004. Pendant la même période, l'encours du crédit à la consommation était luimême multiplié par deux.

Les conditions de recours aux système de santé sont limitées par des questions d'argent, dans un pays qui, dans ce domaine, connaît un triste paradoxe : la France qui s'enorgueillit de l'espérance de vie la plus élevée au monde, tient

---

50. On estime à plus de 3 millions le nombre de mal-logés : 100 000 SDF ; 900 000 personnes hébergées chez des tiers, dans des structures d'urgence, des mobile home, etc. ; 1 000 000 dans des logements dépourvus du confort de base (chauffage, wc, salle d'eau) ; 1 000 000 dans des situations de surpeuplement accentué (source : Rapport de la Fondation Abbé Pierre, février 2006).

également le record des plus grandes inégalités d'espérance de vie selon la situation sociale. Ces écarts continuent à s'accroître chez les hommes comme en atteste une enquête récente [51]. Ils proviennent tant de la prévalence des comportements à risque (tabac, alcool, alimentation) que des inégalités dans l'accès aux soins. La qualité des soins varie en effet en fonction du niveau de revenu, un recours moins fréquent aux spécialistes et parfois des difficultés d'accès aux soins, l'offre de soins n'étant pas répartie en fonction des besoins de santé, comme l'a confirmé l'observatoire national des zones urbaines sensibles [52].

Les caractéristiques de la pauvreté ont donc profondément changé à la fin du XXe siècle : le passage d'une pauvreté majoritairement âgée, à une pauvreté rajeunie, frappant davantage les actifs que les retraités ; une pauvreté qui n'est plus cantonnée aux publics de la charité et de l'assistance organisées, mais qui comporte désormais des bataillons croissants de travailleurs pauvres ; une pauvreté qui, non seulement n'a pas diminué aux marges de la société (malgré la multiplication des dispositifs spécifiques de lutte contre l'exclusion et la grande pauvreté), mais s'est insinuée au cœur même du monde social. À quoi s'ajoute un sentiment d'impuissance des politiques publiques : comment la pauvreté peut-elle augmenter alors que les dépenses sociales n'ont jamais été aussi élevées ? Comment la Couverture maladie universelle n'a-t-elle pas mis fin aux difficultés d'accès aux soins des plus démunis ? Comment les plans

---

51. C. Monteil, Robert Bobée, « Les différences sociales de mortalité : en augmentation chez les hommes, stables chez les femmes », *INSEE Première*, juin 2005.

52. Voir notamment les rapports de l'observatoire national des zones urbaines sensibles.

d'urgence peuvent-ils se succéder sans briser le cercle vicieux de l'exclusion ?

Ces évolutions imposent de repenser les politiques de lutte contre la pauvreté et même, pourrait-on dire, de les inventer. Car, contrairement aux autres grandes questions sociales – comme celles des retraites, de la maladie ou de la famille –, il n'y pas de politique globale de lutte contre la pauvreté, pas plus que de politique explicite de réduction des inégalités. L'existence actuelle de trois départements ministériels distincts aux intitulés redondants ou concurrents – ministère de la cohésion sociale, ministère des solidarités, ministère de l'égalité des chances – ne saurait pallier l'absence d'une politique élevant la lutte contre la pauvreté au même rang que les autres grandes politiques sociales ou économiques.

La première condition pour y remédier est de construire cette politique autour d'objectifs ayant une valeur contraignante, si ce n'est d'un point de vue juridique, du moins par la force de l'engagement pris par ceux qui les énonceraient et par leur capacité à y faire adhérer les acteurs principaux de la lutte contre la pauvreté, c'est-à-dire les partenaires sociaux et les collectivités territoriales.

On l'a vu : la politique de loin la plus efficace pour réduire la pauvreté dans la période précédente n'a pas été une politique spécifique mais celle qui a institué et généralisé les régimes de retraite. Cependant, lutter contre la pauvreté de la population active impose d'utiliser d'autres méthodes. Si l'on a pu augmenter le niveau de vie des plus âgés par une action classique de redistribution et de transferts financiers, on ne combattra pas durablement et radicalement la pauvreté des actifs à coups d'allocations ou de revenus de remplacement. Les instruments principaux de cette politique sont la formation, l'organisation du marché du travail, l'adaptation des différents services publics aux besoins des plus faibles – depuis la garde des enfants jusqu'à la prévention sanitaire en passant par l'accès au crédit –, la conduite d'une politique du logement anticipant les besoins nouveaux liés aux évolutions socio-démographiques.

Une telle politique ne peut être efficace que si elle obéit à des objectifs volontaristes de rang au moins équivalent à ceux qui gouvernent la politique économique. Or, faute de tels objectifs, les effets des différentes politiques se neutralisent les uns les autres. Des transferts sociaux, même élevés, ne réduisent pas les inégalités s'ils ne s'intègrent pas dans une politique fiscale redistributive[53]. Une politique familiale dynamique peut tout à fait maintenir un million d'enfants sous le seuil de pauvreté si l'effort de la collectivité à l'égard des familles est, en valeur absolue, plus soutenu à l'égard des ménages aisés que des familles pauvres. Et, on l'a vu récemment, une politique du logement qui n'agit pas simultanément sur l'ensemble des leviers – depuis le prix du foncier jusqu'à la maîtrise des loyers, du financement des logements sociaux aux obligations juridiques d'inclure de tels logements dans les programmes de construction – ne permet pas de résoudre aussi rapidement qu'il le faudrait une crise dont l'ampleur est devenue dramatique.

Or, l'idée continue de prévaloir que la réduction de la pauvreté sera un effet collatéral favorable des autres politiques visant à augmenter la croissance ou à favoriser l'emploi, et que seules des politiques ciblées sur l'urgence sociale

---

53. Sur le faible degré de redistributivité du système socio-fiscal français, y compris par comparaison avec les États-Unis ou le Canada, voir Timothy B. Smith, *La France injuste*, Paris, Autrement, 2006.

ou sur la très grande pauvreté doivent correspondre à des actions spécifiquement identifiées. C'est faire l'impasse sur les raisons pour lesquelles la pauvreté persiste et s'étend dans un pays riche comme la France, après une si longue période de croissance.

Tout se passe comme si le niveau d'exigence requis pour être intégré dans le système productif à un niveau qui procure les moyens d'une existence digne s'était progressivement élevé, comme s'élève, lors d'un concours, la « barre » donnant accès à l'admissibilité. Celles et ceux qui sont en dessous de cette barre – parce qu'ils ne sont pas assez qualifiés, parce que leur niveau de productivité est trop faible, parce qu'ils ont connu ce qu'on appelle pudiquement un « accident de vie » – sont pris en charge par des mécanismes de compensation, partiels mais coûteux et qui entretiennent la pauvreté.

La deuxième condition est donc d'introduire la question de la pauvreté dans le jeu des négociations sociales. Or les politiques de lutte contre la pauvreté sont absentes des débats entre les partenaires sociaux. À la grande table des négociations sociales, on discute salaires et droit du travail pour ceux qui sont au-dessus de la « barre », mais on ne parle pas de la situation des allocataires du RMI qui n'ont pas de corps intermédiaires pour les représenter et dont les intérêts sont difficilement pris en compte par les syndicats classiques, même si on observe une timide évolution à travers le thème du logement ou de la précarité. Fin 2003, la décentralisation du RMI, qui pouvait être lourde de conséquences pour plus d'un million d'allocataires, et la création du revenu minimum d'activité ont suscité beaucoup moins de réactions des syndicats que le changement de rattachement administratif des personnels techniques des lycées et collèges.

Quant au MEDEF, ce n'est qu'à l'automne 2005 qu'il a admis, par la voix de sa nouvelle présidente, ce qui sonne pourtant comme une évidence : « La question de la pauvreté concerne l'entreprise [54]. » Les entreprises du CAC 40, elles, ont commencé à se préoccuper sérieusement des banlieues lorsqu'elles se sont rendu compte qu'outre-Atlantique leurs interlocuteurs qui avaient vu brûler des voitures sur CNN s'interrogeaient sur la stabilité d'entreprises multinationales dont le siège était situé dans un pays aussi peu sûr. N'était-il pas paradoxal de dénoncer la part prépondérante des logiques d'assistance et l'envolée des dépenses sociales, de voir augmenter le nombre de travailleurs pauvres et de considérer que la lutte contre la pauvreté restait l'affaire des seuls pouvoirs publics ?

On multiplie les observatoires et les conseils, mais on néglige d'instaurer des lieux où les réponses aux situations de pauvreté pourraient se négocier. Une conférence nationale de lutte contre les exclusions s'est tenue pour la première fois en juillet 2004, sous la présidence du Premier ministre, réunissant les partenaires sociaux et les acteurs traditionnels de la lutte contre l'exclusion. Mais il y a un long chemin entre une manifestation purement formelle et un rendez-vous régulier qui oblige à une véritable négociation sociale, qui serait pourtant indispensable pour cesser d'opposer les pauvres et les très pauvres, et pour contrer un triple ressentiment : celui des laissés-pour-compte qui se débattent dans une pauvreté devenue durable, malgré la multiplication des déclarations compassionnelles ; celui de ceux qui vivent mal de leur travail et qui ont l'impression de ne

---

54. Déclaration de Laurence Parisot, présidente du MEDEF, au comité national des politiques de lutte contre l'exclusion, septembre 2005.

pas bénéficier des plans successifs de lutte contre la pauvreté qui concernent des plus pauvres qu'eux ; et enfin, le ressentiment de ceux qui financent les dépenses sociales sans voir d'amélioration tangible de la situation collective.

La troisième condition tient à un changement radical d'organisation des pouvoirs publics. La pauvreté est un phénomène complexe auquel on ne peut répondre par un surcroît de complexité administrative. Parmi l'ensemble des politiques sociales, la lutte contre la pauvreté est la plus éclatée entre les différents niveaux d'administration et la plus segmentée. Elle concerne les compétences de l'État, des régions, des départements, des communes et des organismes de sécurité sociale qui ne disposent chacun que d'une partie des leviers... Ces institutions doivent gérer des prestations et des dispositifs invraisemblablement complexes et cloisonnés. Les programmes d'insertion ne sont pas les mêmes pour les allocataires du revenu minimum d'insertion et ceux qui bénéficient, pour quelques dizaines d'euros mensuels de différence, de l'allocation de parent isolé. Conséquence : avant de discuter le contrat d'insertion avec la personne concernée, les services administratifs passent des mois à vérifier de quel dispositif elle dépend... Les différents services sociaux restent donc enfermés dans une logique de guichets, dont se plaignent à la fois les personnes en difficulté et les travailleurs sociaux, et dont on mesure davantage le travail au nombre de dossiers ouverts qu'au nombre des sorties de la pauvreté. L'enchevêtrement des difficultés (logement, surendettement, garde d'enfants, emploi, ...) imposerait de passer d'un système de prestations hyper-spécialisées à une logique d'accompagnement global plus individualisée et sous-tendue par la culture du résultat.

Ceci permettrait de satisfaire une quatrième condition : concevoir des prestations plus articulées à la rémunération du travail et mieux adaptées aux évolutions de la structure familiale. Les prestations financières ont été privilégiées par rapport aux dispositifs d'accompagnement des personnes et à une organisation des services publics permettant de satisfaire les besoins des plus démunis : ainsi, le droit à l'accueil des jeunes enfants existe bel et bien dans plusieurs pays scandinaves alors que l'impossibilité de trouver un mode de garde reste un obstacle majeur à l'activité en France, malgré des prestations familiales particulièrement sophistiquées dans leur conception. Les prestations facultatives que les collectivités territoriales ont instituées sont souvent venues rajouter, involontairement, des obstacles à la reprise d'emplois. Il en va ainsi de certains avantages réservés aux allocataires du RMI ou aux chômeurs – comme la gratuité des transports ou de la cantine scolaire – qui se perdent au moment du retour à l'emploi.

La réduction sensible de la pauvreté est intimement liée à la situation de l'emploi. Mais les expériences étrangères nous rappellent que l'on peut connaître un faible taux de chômage et une pauvreté élevée. Y échapper nécessite de permettre aux emplois à faible productivité de se développer sans pour autant donner à celles et ceux qui les occupent des revenus de misère. Hiérarchiser le niveau des prestations sociales et leurs conditions d'octroi pour garantir qu'un travail à mi-temps fasse franchir le seuil de pauvreté, quelle que soit la situation familiale, peut être une manière de stopper la progression du nombre de travailleurs pauvres, et un axe de réforme des minima sociaux.

Désormais, compte tenu des dernières étapes de la décentralisation, les politiques de lutte contre la pauvreté se concevront simultanément à deux niveaux : au niveau européen et national pour le cadre macro-économique, au niveau local pour l'ajustement des prestations sociales. C'est peut-être d'initiatives locales que viendront les idées fécondes et des résultats moins médiocres, plutôt que de l'interminable glose sur l'improbable modèle social français.

Annexes :
Tableaux et chiffres

ANNEXE 1. Les nouvelles précarités

TABLEAU I

L'évolution de la structure socioprofessionnelle des emplois (1982-2002)
En %

	1982	2002	Évolution
Agriculteurs	7,1	2,7	- 4,4
Artisans, commerçants chefs d'entreprise	8,2	5,9	- 2,3
Cadres	8,4	14,7	+ 6,3
Professions intermédiaires enseignement, santé, fonction publique	8,1	9,3	+ 1,2
Techniciens et professions intermédiaires d'entreprises privées	10,5	12,2	+ 1,7
Employé fonction publique	9,3	10,4	+ 1,1
Employé administratif d'entreprise	9,3	8,9	- 0,4
Employés commerce, personnels services direct particuliers	7,3	10,0	+ 2,7
Ouvriers type artisanal	10,0	9,3	- 0,7
dont qualifiés	5,9	6,2	
Chauffeurs, manutentionnaires	4,6	4,3	- 0,3
Ouvriers type industriel	15,9	11,3	- 4,6
dont qualifiés	7,5	6,4	
Ouvriers agricoles	1,3	1,0	- 0,3

Source : *Enquêtes Emploi INSEE, 1982, 2002.*

GRAPHIQUE I

L'accroissement des inégalités de statut (1982-2002)

Part des emplois précaires (Intérim, CDD, stages…) en %

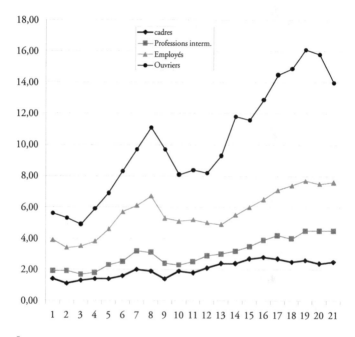

Lecture :
Sur l'axe vertical, le % d'emplois précaires (Intérim, CDD, stages…).
Sur l'axe horizontal, la chronologie de 1 (année 1982) à 21 (année 2002).

TABLEAU 2

Disparités d'exposition au chômage
au sein des grandes strates de la société

Taux de chômage selon la catégorie
socioprofessionnelle du dernier emploi

	Catégories socioprofessionnelles	Taux de chômage (en %)
Classes	Cadres de la fonction publique, professeurs, scientifiques supérieures	1
	Cadres administratifs et commerciaux d'entreprise	5,6
Classes moyennes	Professions intermédiaires de la santé et du travail social	3,3
	Professions intermédiaires administratives et commerciales d'entreprise	8,8
Ouvriers et employés	Ouvriers qualifiés de type industriel	6,7
	Ouvriers qualifiés de type artisanal	9,4
	Employés de commerce	13,2

Source : *Enquête Emploi, Insee, 2002.*

TABLEAU 3

Principaux métiers en expansion

Variations 1990 / 1999 (en %)

Métiers	Évolution 1990-1999 (en %)
Employés de libre service	+ 121
Assistantes maternelles	+ 105
Agents et hôtesses d'accompagnement	+ 64
Employés de maison, femmes de ménage	+ 47
Ouvriers qualifiés des industries agricoles et alimentaires	+ 45
Jardiniers	+ 43
Conducteurs d'engins, élévateurs, caristes	+ 34
Vendeurs photos, disques, librairie	+ 33

Annexe 2. Les métamorphoses du territoire : nouvelles mobilités, nouvelles inégalités

Le poids de l'Île-de-France dans le PIB et le revenu des ménages nationaux

(PIB : 1975-2003 / Revenu Disponible Brut : 1975-2001)

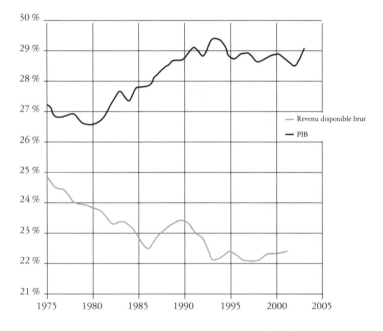

Commentaire : *Un effet de ciseau, depuis 1980, entre l'augmentation de la part de l'Île-de-France dans la création de la richesse nationale et la réduction de sa part dans les revenus des ménages français.*

GRAPHIQUE 2

La réduction des disparités de revenu par habitant entre les départements (1990-2000)

Revenu déclaré (DGI)

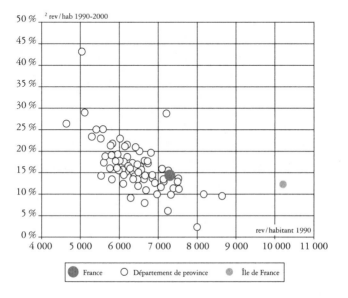

Commentaire : *Les départements les plus pauvres en 1990 sont ceux dont le revenu a le plus augmenté entre 1990 et 2000.*

CARTE I

Revenu par habitant en 1990

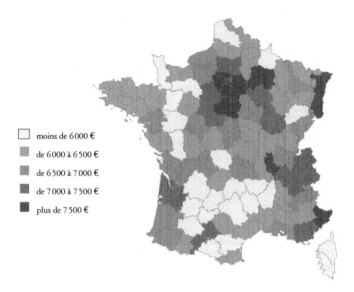

moins de 6 000 €

de 6 000 à 6 500 €

de 6 500 à 7 000 €

de 7 000 à 7 500 €

plus de 7 500 €

Source : *calculs d'après DGI.*
Commentaire : *Les départements les plus pauvres en 1990 se trouvent dans la moitié Ouest du pays…*

CARTE 2

Variation revenu par habitant entre 1990 et 2000 (en %)

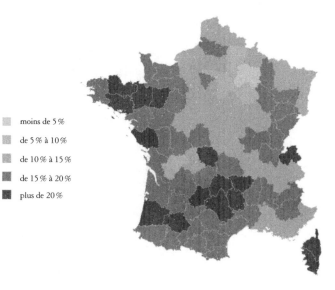

moins de 5 %

de 5 % à 10 %

de 10 % à 15 %

de 15 % à 20 %

plus de 20 %

Source : *calculs d'après DGI.*
Commentaire : … *mais ce sont eux dont le revenu a le plus augmenté entre 1990 et 2000.*

CARTE 3

Les RMIstes en % de la population active (1999)

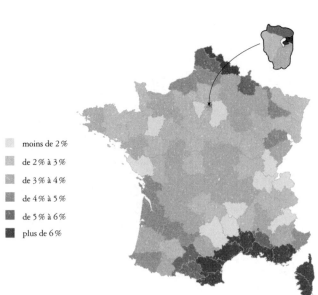

moins de 2 %

de 2 % à 3 %

de 3 % à 4 %

de 4 % à 5 %

de 5 % à 6 %

plus de 6 %

Source : *d'après CNAF (RMI) et Insee-RGP 1999 (Population active).*
Commentaire : *Une localisation très concentrée des titulaires du RMI dans le Nord, le littoral méditerranéen ainsi qu'en Seine-Saint-Denis et à Paris…*

CARTE 4

Variation du nombre de RMIstes entre 2000 et 2004

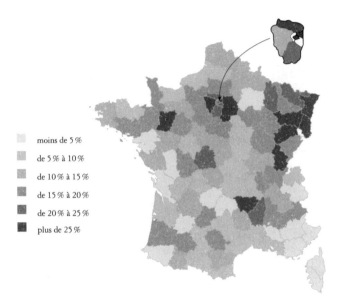

moins de 5 %

de 5 % à 10 %

de 10 % à 15 %

de 15 % à 20 %

de 20 % à 25 %

plus de 25 %

Source : *calculs d'après CNAF.*
Commentaire : *…une forte croissance du nombre de RMIstes dans l'est du pays et en Île-de-France et qui épargne largement la moitié Ouest du pays.*

CARTE 5

Variation de l'emploi salarié privé
entre 1993 et 2003 (en %)

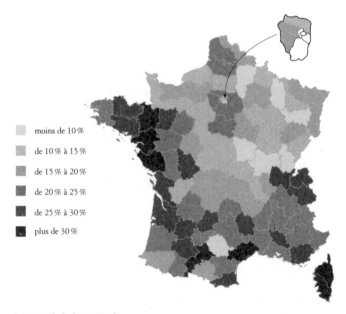

moins de 10 %

de 10 % à 15 %

de 15 % à 20 %

de 20 % à 25 %

de 25 % à 30 %

plus de 30 %

Source : *calculs d'après Unedic.*
Commentaire : ... *une croissance de l'emploi salarié privé plus rapide dans la moitié Ouest et au Sud du pays. Un fort ralentissement à Paris et dans la petite couronne.*

CARTE 6

Retraités en % des actifs (1999)

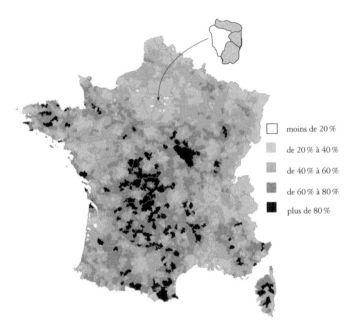

Source : *d'après Insee (RGP 1999).*
Commentaire : *À la veille du « papy boom », la part déjà importante des retraités dans les territoires les moins urbanisés.*

CARTE 7

Salaires publics et retraites en % du revenu

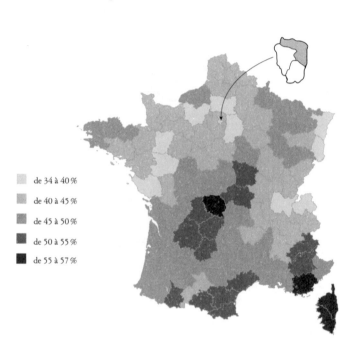

de 34 à 40 %

de 40 à 45 %

de 45 à 50 %

de 50 à 55 %

de 55 à 57 %

Source : *calculé d'après DGI.*
Commentaire : *Les revenus publics représentent la première source de revenu de la plupart des départements français.*

ANNEXE 3. Conditions de travail : l'impact des nouvelles formes de pénibilité

GRAPHIQUE I
Évolution du % de travailleurs déclarant travailler à un rythme élevé au moins 50 % du temps

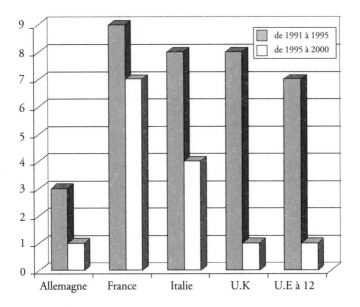

Source : *Enquêtes européennes sur les conditions de travail.*

GRAPHIQUE 2

Évolution de 1995 à 2003 du nombre d'accidents du travail impliquant plus de 3 jours d'arrêt pour 100 000 personnes occupées

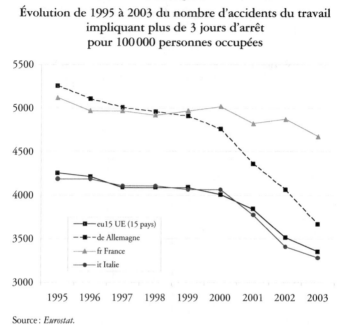

Source: *Eurostat.*

Tableau 1

Le travail à la chaîne ou sous contraintes automatiques en 1984, 1991 et 1998

	Proportion de salariés qui déclarent (en %)	
	Travailler à la chaîne	Travailler sous contraintes automatiques (*)
1984	2,8	6,8
1991	3,4	8,5
1998	3,5	9,6

Source: *Enquêtes conditions de travail.*
(*) *travail à la chaîne ou rythme de travail soumis à la cadence d'une machine, ou rythme de travail dépendant d'un déplacement automatique d'un produit ou d'une pièce.*

TABLEAU 2

Proportion de salariés exposés à des produits cancérigènes
(en %)

Catégories de salariés	Ensemble	*Dont sans protection collective pour au moins un produit*
Ensemble	13,5	42,3
Hommes	20,4	43,3
Femmes	4,3	36,3
Moins de 25 ans	17,1	42,6
25 à 29 ans	13,6	41,3
30 à 39 ans	13,5	42,7
40 à 49 ans	12,8	42,3
50 ans ou plus	12,6	42,3
Agriculture	21,9	77,8
Industrie	21,2	33,9
Construction	34,9	51,8
Tertiaire	8,7	42,9

Source : *enquête SUMER DRT-DARES 2003.*

TABLEAU 3

Type de contrainte	Agriculture	Industrie	Construction	Tertiaire	Ensemble des salariés
Bruit supérieur à 85 dbA					
1994	34,7	26	28,2	3,5	13
2003	41,9	34,7	53,7	7,2	18,2
Bruit supérieur à 85 dbA plus de 20 h par semaine					
1994	6,2	15,7	7,6	1,3	5,8
2003	12,4	16,3	10,5	1,5	6
Travail sur écran plus de 20 h par semaine					
1994	1,7	10	4,4	14,5	11,9
2003	5,2	19,4	8	25,2	22,1
Manutention de charges plus de 10 h par semaine					
1994	10,1	13,5	20,9	11,2	12,5
2003	15,7	13,8	24,1	9,5	11,8
Position debout ou piétinement plus de 20 h par semaine					
1994	24	33,9	35	25,4	28,3
2003	29,5	33,2	39	22,8	26,7
Répétition d'un même geste plus de 10 h par semaine					
1994	20,9	17,2	16	9,3	12,5
2003	17,4	15	15,1	6,5	9,5

ANNEXE 4. Déclassement : quand l'ascenseur social descend

TABLEAU I

Taux de déclassement en France parmi les titulaires d'un diplôme de niveau Bac ou supérieur (%)

Approches	Déclassement professionnel	Sentiment de déclassement
Ensemble des jeunes	36,3	22,1
Hommes	37,9	24,3
Femmes	34,9	20,8
Bac technologiques et professionnels	47,6	22,3
Supérieur court (BTS-DUT)	36,2	27,8
2e cycle universitaires	30,3	21,4
Grandes écoles, 3e cycle U	23,4	23,6

Source :
Enquête CEREQ « Génération 98 » et Enquête sur les conditions de vie des ménages. Cf. E. Nauze-Fichet et M. Tomasini, et J.-F. Giret in J.-F. Giret, A. Lopez et J. Rose, Des formations pour quels emplois ?, *La Découverte, 2005.*

Commentaire :
Déclassement professionnel : la personne est considérée comme déclassée si, en 2001 (trois ans après sa sortie de l'école), sa situation est significativement moins bonne que celle des personnes de niveau de formation comparable observée en 1990. Ces chiffres fixent des niveaux minima de déclassement puisqu'ils se calent sur une année de référence où l'on comptait déjà un certain niveau de déclassement. Ainsi, dans la Fonction publique où les concours fixent des normes pour le recrutement, ce sont en réalité 64 % des jeunes qui y entrent déclassés « normativement ».
Sentiment de déclassement : on demande aux jeunes s'ils ont le sentiment que leurs compétences scolaires sont reconnues dans leur emploi.
Au total, 58 % des jeunes de la « génération 98 » étudiée par le CEREQ sont touchés par l'une ou l'autre de ces formes de déclassement.

TABLEAU 2

Le déclassement en Europe

	Probabilité pour les diplômés du Supérieur de ne pas être cadre ou profession intermédiaire	Importance des expériences de travail avant la fin des études (*)	Taux de chômage des jeunes actifs (entrés depuis moins de 5 ans sur le marché du travail)
Portugal	13,8	1	5,9
Pays-Bas	15,3	43	3,8
Danemark	9,0	62,5	4,6
Royaume-Uni	25,4	42	9,3
Italie	26,7	1	26,3
France	28,9	6,8	17,4
Espagne	45,0	1,3	22,2

* Cet indicateur appréhende l'importance des expériences de travail avant même la fin des études (stages, emploi « alimentaire », cursus en alternance).

Source :
Enquête normalisée « Forces de travail 2000 » (jeunes entrés depuis moins de 5 ans sur le marché du travail) ; cf. Thomas Couppié et Michèle Mansuy, « L'insertion professionnelle des débutants en Europe : des situations contrastées », Économie et Statistique, n° 378-379, 2004.

Commentaire :
Même si les situations sont très différentes, la fréquence du déclassement apparaît d'autant plus forte (à l'exception du Portugal) que les contacts avec le monde du travail sont rares ; mais elle est également corrélée avec l'importance du chômage des jeunes. Les facteurs institutionnels sont donc aussi importants que les facteurs économiques.

TABLEAU 3

Les jeunes prennent les places… qui existent

*Proportion de professions supérieures (et chefs d'entreprise)
parmi les emplois, selon le diplôme possédé.*

	Emplois des jeunes 5 ans après la fin des études	Ensemble des actifs (tous âges)
Écoles d'ingénieurs	74	75
Licence	21	36
DUT	11	29
Ens. Diplômés du supérieur	32	41
Ens. Diplômés du secondaire	2	7
Ensemble (tous niveaux)	16	15

Source : *enquête emploi INSEE (2004) ; repris dans « L'état de l'école », n° 15, 2005.*

Commentaire :
Ce tableau rappelle que l'école (et les diplômes qu'elle délivre) ne crée pas à elle seule des emplois : les jeunes, bien que mieux formés, ne s'insèrent pas plus souvent dans des professions supérieures (16 % contre 15 %) ; ils y accèdent à hauteur des emplois existants.
Mais comme ils sont plus diplômés, chaque catégorie paie un « prix » en termes de déclassement (à diplôme égal, le pourcentage d'accès à un emploi supérieur est plus faible parmi les jeunes que parmi l'ensemble des actifs) ; seuls les diplômés des grandes écoles échappent à ce glissement général.

Annexe 5
Fractures générationnelles :
une jeunesse sans destin

Graphique i
Salaire relatif de différentes classes d'âge (1965-2000)

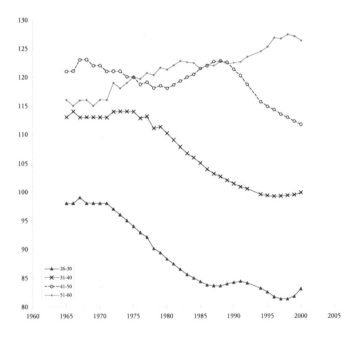

(100 = moyenne nationale)
Source : *Déclarations annuelles de données sociales 1965-2000, Insee.*

GRAPHIQUE 2

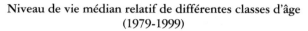

Niveau de vie médian relatif de différentes classes d'âge (1979-1999)

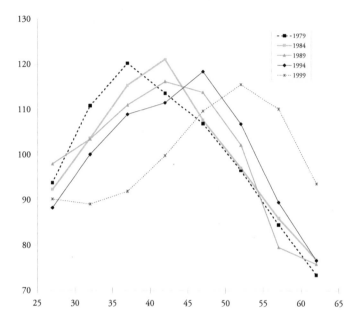

(100 = médiane nationale)
Source : *Luxembourg income study data.*
Note : *la médiane est le niveau de revenu qui sépare en deux parties égales la population.*

GRAPHIQUE 3

Probabilité de mobilité intergénérationnelle ascendante et risques de mobilité descendante dans deux classes d'âge (1984-2002)

GRAPHIQUE 4

Proportion de cadres et de professions intermédiaires dans deux classes d'âge (1969-2002)

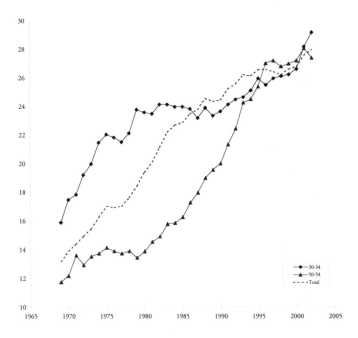

Source : *enquête emploi 1969-2002, Insee ; archives LASMAS-Quételet.*

GRAPHIQUE 5

Répartition par âge des députés de l'Assemblée nationale de 1981 à 2002

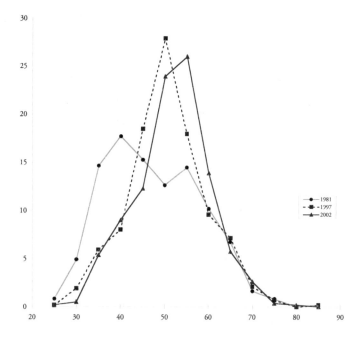

Source : *trombinoscope de l'Assemblée nationale.*

GRAPHIQUE 6

Taux de suicide masculin pour 100 000

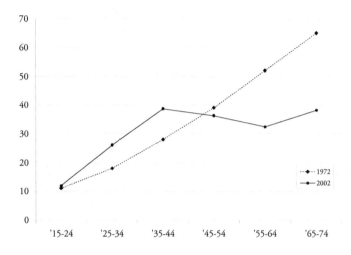

Source : *Inserm Cepidc.*

Quelle discrimination positive ?

TABLEAU I
Inégalités et sélection, du CP au Bac

	Part sur l'ensemble des effectifs au CP	Tests de compétences à l'entrée en CP (sur 100) (écart type : 12,9)	Part sur l'ensemble des effectifs au Bac	Notes moyennes au baccalauréat (sur 100) (écart type : 11,5)
Enfants d'ouvriers	38,9 %	65,2	19,2 %	51,2
Enfants de cadres	16,3 %	75,7	29,7 %	57,3

Source :

T. Piketty et M. Valdenaire, « L'impact de la taille des classes sur la réussite scolaire dans les écoles, les collèges et les lycées français - Estimations à partir du panel primaire 1997 et du panel secondaire 1995 », à paraître, Les dossiers de l'Éducation nationale, Direction de l'évaluation et de la prospective.

GRAPHIQUE 1

Faible ciblage des moyens, mais en progression...

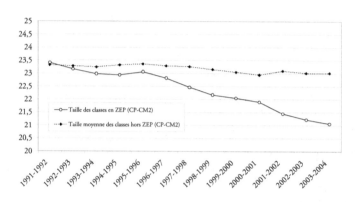

Source:
T. Piketty et M. Valdenaire, « L'impact de la taille des classes sur la réussite scolaire dans les écoles, les collèges et les lycées français - Estimations à partir du panel primaire 1997 et du panel secondaire 1995 », à paraître, Les dossiers de l'Éducation nationale, Direction de l'évaluation et de la prospective.

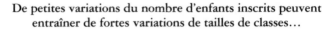

GRAPHIQUE 2

De petites variations du nombre d'enfants inscrits peuvent entraîner de fortes variations de tailles de classes…

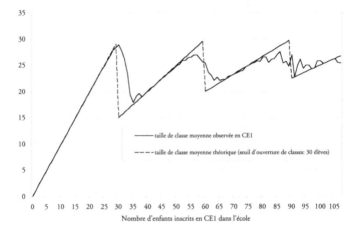

Source :
T. Piketty et M. Valdenaire, « L'impact de la taille des classes sur la réussite scolaire dans les écoles, les collèges et les lycées français - Estimations à partir du panel primaire 1997 et du panel secondaire 1995 », à paraître, Les dossiers de l'Éducation nationale, Direction de l'évaluation et de la prospective.

GRAPHIQUE 3

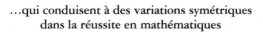

…qui conduisent à des variations symétriques dans la réussite en mathématiques

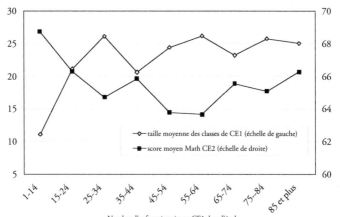

Nombre d'enfants inscrits en CE1 dans l'école

TABLEAU 2

Peut-on réduire les inégalités de réussite scolaire?

Effet sur l'inégalité entre ZEP et hors ZEP	...dans les écoles primaires (compétences entrée en CE2)	...dans les collèges (notes au brevet)	...dans les lycées (notes au bac)
Supression des ZEP	+ 14 %	+ 9 %	+ 2 %
5 élèves par classe de moins en ZEP	- 45 %	- 28 %	- 5 %

Biographies

Philippe Askenazy est économiste, chercheur au CNRS et membre du Cepremap. Ancien élève de l'École normale supérieure, agrégé de mathématiques, il a notamment publié *La Croissance moderne* (Economica, 2002 ; prix de l'Académie des sciences morales et politiques) et *Les Désordres du travail* (La République des Idées / Seuil, 2004 ; prix des lecteurs du livre d'économie 2004).

Louis Chauvel, sociologue, est professeur des universités à Sciences-Po Paris, membre de l'Institut Universitaire de France et secrétaire général de l'Association Européenne de Sociologie. Son livre, *Le destin des générations, structure sociale et cohortes en France au XXᵉ siècle* (PUF, 2002) est à l'origine du débat sur la fracture générationnelle. Il a consacré de nombreux articles aux inégalités sociales (générations, genres, classes), aux comparaisons de modèles sociaux, au rôle des États-providence dans les fluctuations du changement social, au suicide.

Laurent Davezies est professeur à l'Université Paris-Val-de-Marne. Il enseigne également à l'université Paris I et à Sciences-Po Paris. Ses travaux de recherche et d'expertise portent sur les politiques régionales, les politiques urbaines et de développement économique local, et les politiques financières publiques, aussi bien en France, dans les pays industriels que dans les pays en développement. Il a publié de nombreux articles et ouvrages sur ces questions.

François Dubet est sociologue, professeur à l'université de Bordeaux II et directeur de recherches à l'École des hautes études en sciences sociales (EHESS). Il a notamment publié *L'École des chances : Qu'est-ce qu'une école juste ?* (La République des Idées / Seuil, 2004), et *Injustices : les expériences des inégalités au travail* (Seuil, 2006).

Marie Duru-Bellat est sociologue de l'éducation, professeur à l'université de Bourgogne et chercheur à l'Institut de Recherche en Éducation (IREDU-CNRS). Elle a notamment publié *L'Hypocrisie scolaire* (avec F. Dubet, Seuil, 2000) et *L'Inflation scolaire* (La République des Idées / Seuil, 2006).

Martin Hirsch est président d'Emmaüs France depuis 2002, et de l'Agence nouvelle des solidarités actives. Ancien élève de l'École normale supérieure et de l'École nationale d'administration, il a dirigé l'Agence française de sécurité sanitaire des aliments. Il est l'auteur de plusieurs livres (*Les Enjeux de la protection sociale*, 1994 ; *L'Affolante Histoire de la vache folle*, 1996 ; *Ces peurs qui nous gouvernent*, 2002 ; *Manifeste contre la pauvreté,* 2004) et a présidé en 2005 la commission qui a élaboré le rapport « La nouvelle équation sociale - au possible nous sommes tenus ».

Éric Maurin est économiste, directeur d'études à l'École des hautes études en sciences sociales (EHESS). Ancien élève à Polytechnique et à l'École nationale de la statistique et de l'administration économique (Ensae), il a notamment publié *Le Ghetto français* (La République des Idées / Seuil, 2004).

Thierry Pech est secrétaire général de la République des Idées et directeur de la revue mensuelle *La Vie des Idées*. Il a notamment publié *Les Multinationales du cœur: les ONG, la politique et le marché* (en coll. avec Marc-Olivier Padis, Seuil, 2004).

Thomas Piketty est économiste, directeur d'études à l'École des hautes études en sciences sociales (EHESS). Il est depuis le 1er décembre 2005 directeur de l'AP École d'économie de Paris. Dernier ouvrage paru: *Les Hauts Revenus en France: inégalités et redistribution (1901-1998)*, Grasset, 2001.

Pierre Rosanvallon est historien, professeur au Collège de France et président de la République des Idées. Dernier ouvrage paru: *Le Modèle politique français* (Seuil, 2004).

Pierre Veltz enseigne à l'École des Ponts et à Sciences-Po (Paris) où il est chercheur associé au Centre de Sociologie des Organisations. Il dirige l'Institut des hautes études de développement et d'aménagement des territoires européens (IHEDATE). Parmi ses ouvrages: *Mondialisation, villes et territoires. Une économie d'archipel*, PUF, 2005; *Des lieux et des liens. Politiques du territoire à l'heure de la mondialisation*, Éd. de l'Aube, 2002; *Le Nouveau Monde industriel*, Gallimard, 2000.

Table des matières

La République des Idées

La République des Idées qui co-édite avec les éditions du Seuil cette collection d'essais, est un atelier intellectuel international. Sa vocation est de produire des analyses et des idées originales sur les grands enjeux de notre temps : mutations de la démocratie, transformations du capitalisme et des inégalités, évolutions des relations internationales...

Une ambition similaire anime *La Vie des Idées*, un mensuel d'information internationale également édité par *La République des Idées*. Cette revue rend compte des productions intellectuelles et culturelles qui alimentent la discussion publique en Europe, aux États-Unis, en Asie... Elle entend fournir au public francophone un accès direct aux «débats d'ailleurs» et à leurs acteurs: intellectuels, chercheurs, polémistes, fondations, revues...

Pour toute information :
www.repid.com
idees@repid.com

RÉALISATION : PAO ÉDITIONS DU SEUIL
IMPRESSION : CORLET IMPRIMEURS À CONDÉ-SUR-NOIREAU
DÉPÔT LÉGAL : MARS 2006. N° 87431 (91854)
IMPRIMÉ EN FRANCE